RESER
HELADO

2 LIBROS INCREÍBLES SOBRE CÓMO PREPARAR MÁS DE 100 RECETAS DE HELADO

Alina Mendez, Georgio Mulas

Descargo de responsabilidad

La información contenida i está destinada a servir como una colección completa de estrategias sobre las que el autor de este libro electrónico ha investigado. Los resúmenes, estrategias, consejos y trucos son solo recomendaciones del autor, y la lectura de este libro electrónico no garantiza que los resultados de uno reflejen exactamente los resultados del autor. El autor del eBook ha realizado todos los esfuerzos razonables para proporcionar información actualizada y precisa a los lectores del eBook. El autor y sus asociados no serán responsables de ningún error u omisión no intencional que se pueda encontrar. El material del eBook puede incluir información de terceros. Los materiales de terceros forman parte de las opiniones expresadas por sus propietarios. Como tal, el autor del libro electrónico no asume responsabilidad alguna por el material u opiniones de terceros. Ya sea debido a la progresión de Internet o a los cambios imprevistos en la política de la empresa y las pautas de presentación editorial, lo que se declara como un hecho en el momento de escribir este artículo puede volverse desactualizado o inaplicable más adelante.

Sommario

Libro de recetas de helados caseros

50 recetas fáciles y deliciosas

Descargo de responsabilidad

La información contenida i está destinada a servir como una colección completa de estrategias sobre las que el autor de este libro electrónico ha investigado. Los resúmenes, estrategias, consejos y trucos son solo recomendaciones del autor, y la lectura de este libro electrónico no garantiza que los resultados de uno reflejen exactamente los resultados del autor. El autor del eBook ha realizado todos los esfuerzos razonables para proporcionar información actualizada y precisa a los lectores del eBook. El autor y sus asociados no serán responsables de ningún error u omisión no intencional que se pueda encontrar. El material del eBook puede incluir información de terceros. Los materiales de terceros forman parte de las opiniones expresadas por sus propietarios. Como tal, el autor del libro electrónico no asume responsabilidad alguna por el material u opiniones de terceros. Ya sea debido a la progresión de Internet o a los cambios imprevistos en la política de la empresa y las pautas de presentación editorial, lo que se declara como un hecho en el momento de escribir este artículo puede volverse desactualizado o inaplicable más adelante.

RECETAS DE HELADOS

Helado de Arándanos y Vainilla

SHERBETS Y SORBETES

Sorbete de aguacate y piña

Sorbete de naranja sanguina

Sorbete de arándanos

Sorbete de melón

Sorbete de tarta de queso

Sorbete de pimienta cítrica

Sorbete de jugo de arándano

Sorbete de kiwi

Sorbete de miel y limón

Sorbete de lima y daiquiri

Sorbete de lima

Sorbete de mandarina

Sorbete de jarabe de arce

GELATOS

Helado de crema

Helado de pistacho

Helado de chocolate amargo

Helado ondulado de frambuesa

Helado de limón

Helado de tutti-frutti

Helado de café

Helado de kumquat

INTRODUCCIÓN

Incluso la idea de un helado es suficiente para evocar sueños de días soleados de fin de semana descansando en el jardín, corriendo por el aspersor y tomando un descanso del calor con un delicioso manjar helado. Si bien las cosas compradas en la tienda son agradables, no es difícil hacer un lote de helado realmente rico y espeso sin romper el banco.

Si nunca antes ha intentado hacer este dulce postre, es posible que se sorprenda de lo fácil que es. Aunque se necesita algo de planificación, la mayor parte de su tiempo lo dedicará a dejar que se enfríe o congele. A menudo, puede batir una buena base de helado en menos de media hora. Luego, todo lo que necesita hacer es enfriarlo, darle un poco de tiempo en una mejor máquina para hacer helados y dejar que se congele. ¡Lo que obtienes por todo ese "trabajo" es un postre increíblemente delicioso que sabe muy bien y tiene exactamente los sabores e ingredientes que deseas! ¿Te gustaría que tu helado favorito con chispas de chocolate tuviera más chispas de chocolate? ¡Puede! ¿Te gustaría que tu helado de plátano favorito no tuviera nueces? Eso depende de ti ahora.

El helado casero también es una excelente manera de tratar a los invitados. Nada dice espectacular como sacar un helado hecho con bayas frescas o menta del jardín. Y el helado combina bien con muchos otros postres de verano y recetas de postres sin hornear. También es necesario para hacer deliciosos sándwiches de helado caseros. ¡Consulta 48 de nuestras recetas de helado favoritas!

HELADOS

Helado de Almendras y Chocolate con Pasas

Las pasas cubiertas de chocolate en esta receta agregan interesantes trozos masticables a un simple helado con sabor a almendras.

Aproximadamente 6 porciones
PREPARACIÓN 5 MINUTOS
COCCIÓN 5 HORAS
El tiempo de cocción incluye 4-5 horas de tiempo de congelación.

Ingredientes

- 25 g / 1 oz de almendras blanqueadas
- Caja de 284ml de nata líquida, fría
- 250 g / 9 oz de yogur natural bajo en grasa, frío
- 6 cucharadas rasas de azúcar glas
- $\frac{1}{2}$ cucharada de extracto de almendras
- 100g / 3$\frac{1}{2}$ oz de pasas de chocolate con leche

Direcciones

Pica finamente las almendras. Póngalos en una sartén pequeña y tueste, revolviendo ocasionalmente, hasta que estén dorados (tenga cuidado de no dejar que se doren demasiado y se quemen). Pasarlos a un plato y dejar enfriar.

Vierta la nata en una jarra y agregue el yogur. Tamizar el azúcar glass sobre la nata y el yogur y añadir el extracto de almendras. Con un batidor, revuelva hasta que quede suave.

Cubra y enfríe durante 20-30 minutos. Vierta la mezcla en la máquina para hacer helados y congele según las instrucciones.

Agregue las pasas de chocolate y las almendras tostadas durante el último minuto o dos de batido. Transfiera a un recipiente adecuado y congele hasta que se requiera.

Nutrición

Calorías 261

Grasa total 14ggramos

Carbohidratos totales 32ggramos

Fibra dietética 2,3 ggramos

Azúcares 26ggramos

Proteína 2.7g

Helado de Amaretto

No puede ser más simple que esto: solo tres ingredientes que producen una textura aterciopelada y un delicioso sabor a almendra amarga. Me gusta servir esto tal como está (tal vez con galletas de amaretto extra), con peras escalfadas en almíbar, con tarta de pera tibia o con cualquier postre hecho con albaricoques.

Aproximadamente 6 porciones
Preparación: 10 minutos
Adicional: 2 hrs. 20 minutos
Total: 2 hrs. 30 minutos

Ingredientes

- 500g de crema pastelera ya preparada, refrigerada
- 250 g / 9 oz de yogur griego natural, frío

- 115 g / 4 oz de galletas de amaretto o macarrones

Direcciones

Vierta la crema pastelera y el yogur en una jarra grande y, con un batidor, revuelva bien.

Tritura las galletas de amaretto en migajas finas (usa un procesador o licuadora o simplemente métalas en una bolsa plástica para alimentos y tritúralas suavemente con un rodillo).

Agrega las migas de galleta a la mezcla de natillas y yogur.

Vierta la mezcla en la máquina para hacer helados y congele según las instrucciones. Transfiera a un recipiente adecuado y congele hasta que se requiera.

Nutrición
237,4 calorías
Proteína 1.4g
Carbohidratos 17,6g
Grasa 17g

Helado de manzana y menta

Este hielo refrescante también es bueno con algunos trozos de chocolate o barra de algarroba mezclados justo antes de congelarlos en el paso 5.

Tiempo: 35 minutos + batido
Aproximadamente 4 a 6 porciones
Ingredientes

- 475g tarro de salsa de manzana Dos
- Cajas de 250 ml de nata de soja, refrigerada
- Aproximadamente 4 cucharadas de gelatina de menta
- Azúcar en polvo dorado (opcional)

Direcciones

Vierta la salsa de manzana en una jarra grande y agregue la crema de soja. Agrega la gelatina de menta. Cubra y refrigere durante unos 30 minutos o hasta que esté bien frío.

Revuelva bien y pruebe, agregando gelatina de menta extra o un poco de azúcar si es necesario. Vierta la mezcla en la máquina para hacer helados y congele según las instrucciones.

Transfiera a un recipiente adecuado y congele hasta que se requiera.

Nutrición
Kcal 45
Grasa 0.1g
Carbohidratos 11,6 g
Proteína 0.1g

Tarta de manzana a la mode

El pastel de manzana se sirve mejor con una generosa bola de helado de vainilla a un lado. Esta receta pone el sabor de la tarta de manzana directamente en el helado, sin necesidad de masa para tarta. La sidra de manzana se reduce a una consistencia espesa y almibarada, lo suficientemente concentrada como para infundir mucho sabor a manzana en cada bocado de helado. Como el helado de vainilla, este sabor también es delicioso cuando se sirve con una rebanada de tarta de manzana tibia.

Tiempo de preparación: 20 min.
Tiempo de cocción 1 h 20 min
Rinde 8 porciones

Ingredientes

- 2 tazas de sidra de manzana
- ½ taza de azúcar morena, empacada
- ¼ taza de azúcar granulada
- ½ cucharadita de canela molida
- ¼ de cucharadita de pimienta gorda molida
- ¼ de cucharadita de jengibre molido
- 1 cucharadita de extracto de vainilla
- 1 taza de leche entera
- 2 tazas de crema espesa

Direcciones

Lleve la sidra a fuego lento en una cacerola pequeña a fuego medio y reduzca a ½ taza, aproximadamente 20 minutos. Retire del fuego y agregue el azúcar morena, el azúcar granulada, la canela, la pimienta de Jamaica, el jengibre y la vainilla, revolviendo hasta que el azúcar se disuelva. Combine el jarabe de sidra de manzana con la leche y la nata.

Deje enfriar a temperatura ambiente, luego cubra y refrigere hasta que esté bien frío, de 3 a 4 horas, o durante la noche. Vierta la mezcla fría en una máquina para hacer helados y congele como se indica.

Transfiera el helado a un recipiente apto para congelador y colóquelo en el congelador. Deje que se endurezca durante 1 a 2 horas antes de servir.

Nutrición

398 calorías
14 g de grasa
69 g de carbohidratos (59 g de azúcares, 2 g de fibra)
3 g de proteína

Helado de manzana y queso

Si eres un fanático de CUALQUIER tipo de tarta de queso, ¡esto será absolutamente increíble! Esto es perfecto para esos cálidos días de otoño. Es una comida de transición perfecta. ¡Te encantará!

Tiempo de preparación: 5 minutos
Tiempo de cocción: 10 minutos.
Tiempo de congelación: 3 horas 30 minutos.
Tiempo total: 3 horas 45 minutos
Porciones: 6 personas

Ingredientes

- 5 manzanas para cocinar, peladas y sin corazón
- 2 tazas de requesón, dividido

- 1 taza mitad y mitad, dividida
- 1/2 taza de mantequilla de manzana, dividida
- 1/2 taza de azúcar granulada, dividida
- 1/2 cucharadita de canela en polvo
- 1/4 de cucharadita de clavo molido
- 2 huevos

Direcciones

Pica las manzanas en dados de 1/4 de pulgada; dejar de lado. En una licuadora o procesador de alimentos, combine 1 taza de requesón , 1/2 taza mitad y mitad, 1/4 taza de mantequilla de manzana, 1/4 taza de azúcar, canela, clavo y un huevo. Mezclar hasta que esté suave. Vierta en un tazón grande.

Repita con el resto del requesón, mitad y mitad, mantequilla de manzana y huevo. Combinar con la mezcla previamente hecha puré. Agregue las manzanas picadas. Vierta en el bote de helado. Congele en una máquina para hacer helados de acuerdo con las instrucciones del fabricante.

Nutrición
Calorías 394
Grasas 33g
Carbohidratos 25g
Azúcar 18g
Proteína 3g

Helado de albaricoque y soja

Esto es igualmente bueno si se hace con compota de cereza, ruibarbo o melocotón. Sírvelo con bizcochos crujientes como ratafias o amaretto.

Aproximadamente 6 a 8 porciones
TIEMPO TOTAL: 3 HORAS, 30 MINUTOS
TIEMPO DE PREPARACIÓN: 30 MINUTOS
TIEMPO DE COCCIÓN: 3 HORAS

Ingredientes

- Frasco de 600g de compota de albaricoque
- 4 cucharadas de miel clara
- Dos cajas de 250 ml de crema de soja, refrigerada
- 2 cucharadas de licor de albaricoque o almendras (opcional)

Direcciones

Vierta la compota de albaricoque en una jarra grande y agregue la miel. Remueva con los ingredientes restantes.

Cubra y refrigere durante unos 30 minutos o hasta que esté bien frío. Vierta la mezcla en la máquina para hacer helados y congele según las instrucciones.

Transfiera a un recipiente adecuado y congele hasta que se requiera.

Nutrición
Calorías: 259
Grasas: 12,2 g
Hidratos de carbono: 36,0 g
Azúcar: 29,8 g
Proteína: 3,3 g

Helado de arce y nuez

Las nueces agregan un agradable crujido y un toque de nuez a esta receta, pero es el jarabe de arce puro el que claramente es la estrella de este helado cremoso de nuez y arce. Junto con las nueces picadas, puede agregar hojuelas de arce al helado, lo que le da un toque más crujiente y aún más sabor a arce. Este es un helado fantástico para servir con un crujiente de manzana, un pastel o un pastel, o disfrútelo con un chorrito de jarabe de arce. También puede usar más copos de arce o nueces como cobertura.

Preparación: 30 minutos

Cocinar: 35 minutos

Adicional: 3 hrs

Total: 4 horas 5 minutos

Porciones: 8

Rendimiento: 5 tazas

Ingredientes

- 2 tazas de crema espesa
- ¾ taza de leche
- 1 ¼ tazas de jarabe de arce Vermont grado A
- ¾ taza de trozos de nuez

Direcciones

Vierta la mezcla en el bol de la heladera y congele. Siga el manual de instrucciones del fabricante.

Nutrición

487,1 calorías

Proteína 6,9g

Carbohidratos 46,1g

Grasa 32,5g

Helado de Plátano y Maracuyá

Esta es una manera maravillosa de usar esos plátanos realmente maduros con piel negra. La fruta de la pasión también debe estar madura; busque pieles arrugadas.

Aproximadamente 6 porciones
Tiempo total: 3 h. 20 minutos
Preparación 20 min
Cocinar 0 min

Ingredientes

- 3 o 4 plátanos maduros, aproximadamente 400 g / 14 oz de peso total pelado
- 2 maracuyá
- 425g de crema pastelera de cartón
- 1 cucharada de miel clara
- 1 cucharada de jugo de limón
- $\frac{1}{2}$ cucharada de extracto de vainilla

Direcciones

Pela los plátanos y córtalos en un procesador de alimentos o licuadora. Corta la fruta de la pasión por la mitad y, con una cuchara, saca las semillas y el jugo directamente en el procesador.

Agregue los ingredientes restantes y haga un puré hasta que quede suave (las semillas de maracuyá aún deben permanecer enteras). Vierta la mezcla en una jarra grande, cubra y refrigere durante al menos 30 minutos o hasta que esté bien fría.

Vierta la mezcla en la máquina para hacer helados y congele según las instrucciones. Transfiera a un recipiente adecuado y congele hasta que se requiera.

Nutrición
210 Calorías
3g de proteína
6 g de fibra

Helado de Plátano y Chocolate Blanco

Helado saludable de plátano y chocolate con un toque de mantequilla de maní, una deliciosa comida vegana de verano . ¡Es absolutamente fantástico!

Rinde 5 tazas

Ingredientes

- 3 tazas de crema batida, cantidad dividida
- 1 taza mitad y mitad
- 3/4 taza de azúcar granulada
- 4 huevos grandes
- 8 onzas de chocolate blanco derretido
- 1 1/2 libra (aproximadamente 4) de plátanos muy maduros
- 3 cucharadas de jugo de limón fresco

Direcciones

Ponga 1 taza de crema, mitad y mitad y azúcar a fuego lento en una cacerola mediana pesada, revolviendo ocasionalmente. Batir las yemas en un tazón mediano. Incorpora la mezcla de crema caliente. Regrese la mezcla a la cacerola y revuelva a fuego medio bajo hasta que la crema se espese y cubra la cuchara (aproximadamente 5 minutos); no hierva.

Colar en un tazón grande. Agrega chocolate blanco; batir hasta que esté bien mezclado. Mezcle las 2 tazas de crema restantes. Refrigere hasta que esté frío.

Pele y corte los plátanos. Haga puré de plátanos con jugo de limón. Mezcle el puré con las natillas. Transfiera las natillas a la máquina para hacer helados y procese de acuerdo con las instrucciones del fabricante.

Nutrición

Calorías: 166kcal
Hidratos de Carbono: 30g
Proteína: 2g
Grasas: 7g
Fibra: 4g
Azúcar: 17g

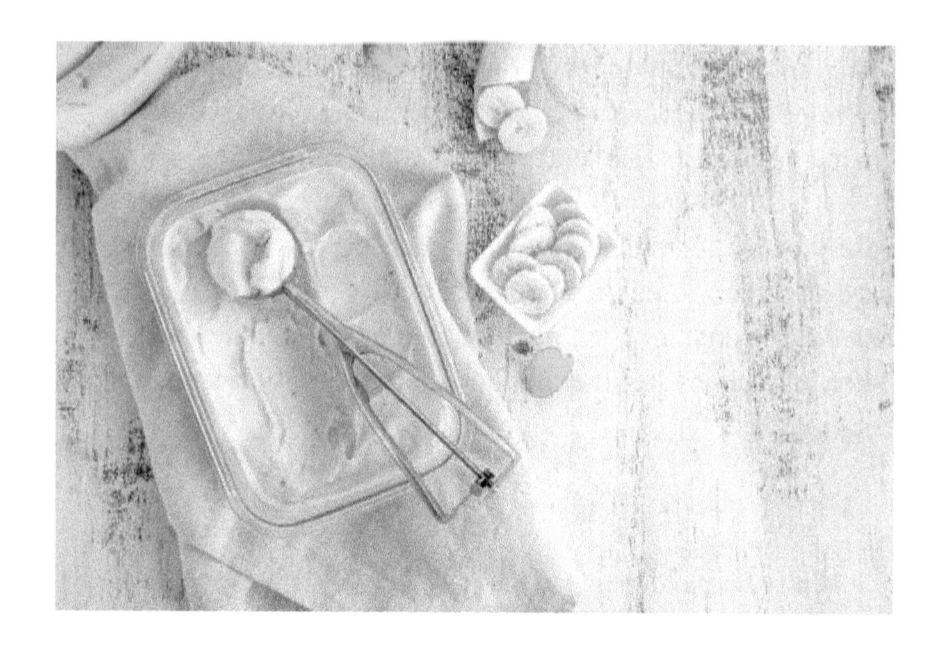

Helado de Cereza Negra

¡Delicioso helado de cereza! Es un fabuloso tono oscuro de magenta y tiene un sabor agrio que encantará a los niños (y adultos).

Tiempo de preparación: 10 minutos

Tiempo pasivo-30 minutos

Porciones-12

Ingredientes

- 2 tazas de cerezas negras maduras, sin hueso
- 2/3 taza de azúcar granulada
- 1 1/4 tazas de crema espesa, batida
- Jugo de limón, opcional

Direcciones

Triturar las cerezas ligeramente con el azúcar en un bol. Incorpore la nata, pruebe la mezcla y agregue más azúcar o un poco de jugo de limón, si es necesario. Vierta la mezcla en un recipiente. Cubra y congele hasta que esté firme, batiendo bien después de 1 1/2 horas.

Aproximadamente 30 minutos antes de servir, transfiera el helado al refrigerador. Sirve con macarrones.

Nutrición

140 Cal

21g de carbohidratos

6 g de grasa

1g de proteína

Helado de flor de saúco y mora

Este hielo es de un color tan bonito y, si puedes poner tus manos sobre algunas zarzas frescas, el sabor será espectacular. También está delicioso hecho con frambuesas. También puede servirlo con un poco más de cordial de flor de saúco rociado por encima.

Aproximadamente 6 porciones
Tiempo de preparación 20 minutos
Tiempo de cocción 5 minutos
Tiempo total 25 minutos

Ingredientes

- 225 g / 8 oz de moras 1 cucharada de azúcar
- Caja de 284ml de nata líquida, fría
- 8 cucharadas de cordial de flor de saúco
- Caja de 142 ml de nata para montar, refrigerada

Direcciones

Pon las moras en una cacerola pequeña y agrega el azúcar. Calentar suavemente, revolviendo de vez en cuando, hasta que el jugo salga de la fruta y la mezcla hierva. Cocine a fuego lento durante 2-3 minutos hasta que las moras estén muy suaves. (Alternativamente, coloque las moras y el azúcar en un tazón adecuado y cocine en el microondas a temperatura alta durante 2 a 3 minutos o hasta que la fruta esté muy suave).

Presiona la mezcla de moras a través de un colador y desecha las semillas. Deje que el puré se enfríe, luego cubra y refrigere durante unos 30 minutos o hasta que esté bien frío.

Mientras tanto, vierta la crema doble en una jarra, agregue el cordial de flor de saúco y revuelva hasta que quede suave. Cubra y enfríe durante 20 a 30 minutos.

Revuelva el puré de moras en la mezcla de flor de saúco hasta que quede suave. Vierta la crema batida en un bol y bata hasta que se formen picos suaves.

Incorpora suavemente la crema batida a la mezcla de moras.

Vierta la mezcla en la máquina para hacer helados y congele según las instrucciones. Transfiera a un recipiente adecuado y congele hasta que se requiera.

Nutrición

32 Cal

1 g de carbohidratos

Helado de Arándanos y Vainilla

Use zarzas si puede conseguirlas, por su intenso sabor. Es un buen acompañamiento para calentar tarta de manzana o tarta de manzana.

Aproximadamente 6 porciones

Ingredientes

- 175 g / 6 oz de arándanos, enjuagados y escurridos
- 40 g / 1½ oz de azúcar en polvo o granulada
- Caja de 284 ml de nata para montar, refrigerada
- 1 cucharada de extracto de vainilla
- 225 g / 8 oz de natillas listas para usar, refrigeradas

Direcciones

Pon los arándanos en una cacerola pequeña y espolvorea el azúcar. Calentar suavemente, revolviendo ocasionalmente, hasta que los jugos de los arándanos salgan a ebullición. Cocine a fuego lento durante 2-3 minutos hasta que la fruta esté muy suave.

Presione la mezcla de arándanos a través de un colador y deseche las semillas. Deje enfriar el puré y luego refrigérelo hasta que se enfríe.

Vierta la crema en una jarra grande y bata hasta que espese lo suficiente como para formar cintas en la superficie (no deben formar picos). Agregue la vainilla, las natillas y el puré de moras.

Vierta la mezcla en la máquina para hacer helados y congele según las instrucciones.

Transfiera a un recipiente adecuado y congele hasta que se requiera.

Nutrición
150 Cal
19g de carbohidratos
7 g de grasa
2g de proteína

SHERBETS Y SORBETES

Sorbete de aguacate y piña

- 2 tazas de pulpa de aguacate en puré
- 1 taza de azúcar granulada
- 1 taza de piña triturada
- 1/3 taza más 1 cucharada de jugo de limón
- 3/4 taza de leche
- 1/4 cucharadita de sal
- 2 claras de huevo
- 1/4 taza de azúcar granulada

En un tazón combine el azúcar, la piña y el jugo de limón; revuelva hasta que el azúcar se disuelva. Combine la pulpa de aguacate y la leche. Mezclar bien. Agrega la mezcla de azúcar y el aguacate; mezclar bien. Agrega sal a las claras de huevo; Batir a punto de nieve. Comience agregando 1/4 taza de azúcar, 1 cucharada a la vez, sin dejar de batir. Batir hasta que se le agregue todo el azúcar y las claras estén firmes. Incorpora las claras de huevo a la mezcla de aguacate; vierta en una bandeja para congelar o una sartén. Congele hasta que esté casi duro.

Coloque en la licuadora o batidora y mezcle suavemente hasta obtener la consistencia de un sorbete. Sirva de una vez.

Sorbete de naranja sanguina

- 1/3 taza de azúcar granulada
- 1 taza de agua
- 2 tazas de jugo de naranja sanguina colado
- 2 cucharaditas de jugo de limón fresco
- 2 cucharaditas de ralladura de naranja sanguina finamente rallada
- 2 cucharadas de licor o vodka con sabor a naranja (opcional)
- 3 claras de huevo grandes, batidas hasta que estén rígidas

Combine el azúcar y el agua en una cacerola pequeña y caliente hasta que el azúcar se derrita y la mezcla esté clara.

Retirar y enfriar.

En un tazón de vidrio, combine el jarabe de azúcar frío, el jugo de naranja, el jugo de limón, la ralladura y el licor. Mezcle bien, luego doble las claras de huevo con un movimiento de arriba hacia abajo. Continúe doblando hasta que no queden rayas de clara de huevo en la mezcla. Vierta la mezcla en una máquina para hacer helados y congele hasta que esté firme, de acuerdo con las instrucciones del fabricante.

Rinde aproximadamente 1 1/2 pintas

Sorbete de arándanos

- 2 pintas de arándanos frescos recogidos pero no lavados (800 g.)
- 2 1/2 tazas de azúcar (500g)
- Jugo de 2 limones
- 11/4 tazas de agua fría (3 dl.)

Haga puré de bayas con azúcar, jugo de limón y agua. Vierta en la máquina para hacer helados y congele de acuerdo con las instrucciones, hasta que esté suave y congelado. Para conservar el sabor de la fruta, sírvalo el mismo día.

Sorbete de melón

- 1 sobre de gelatina sin sabor
- 1/2 taza de leche
- 3 tazas de melón en cubos
- 1 taza de jarabe de maíz ligero

En una cacerola pequeña, espolvorea la gelatina sobre la leche. Revuelva a fuego lento hasta que se disuelva. Coloque en el recipiente de la licuadora con el melón y el jarabe de maíz; cubrir. Licue a alta velocidad durante 30 segundos. Vierta en un molde para hornear cuadrado de 9 pulgadas. Cubrir; congelar durante la noche.

Suavizar ligeramente a temperatura ambiente, alrededor de 10 a 15 minutos. Vierta con una cuchara en un tazón grande. Con la batidora a baja velocidad, batir hasta que quede suave, pero no derretido. Vierta en un molde de 4 tazas o en un recipiente para congelador. Cubrir; congelar aproximadamente 4 horas o hasta que esté firme. Desmolde o ablande a temperatura ambiente para facilitar la extracción. Rinde alrededor de 4 tazas.

Sorbete de tarta de queso

- 1 taza de azúcar granulada
- 2 tazas de suero de leche
- 1 cucharadita de cáscara de limón rallada
- 1/4 taza de jugo de limón

Mezcle todos los ingredientes hasta que el azúcar se disuelva. Vierta en un congelador de helado de 1 cuarto de galón. Congele de acuerdo con las instrucciones del fabricante.

Rendimiento: 8 porciones

C itrus sorbete de pimienta

- 3 pimientos picantes de cera amarilla, sin tallos ni semillas, picados
- 1 3/4 tazas de agua
- 1 1/4 tazas de azúcar
- 3 naranjas grandes, peladas y sin gajos de la membrana divisoria
- 2 cucharadas. Ron oscuro
- 4 cucharadas jugo de limón o lima fresco
- 3 cucharadas jarabe de maíz ligero

En una sartén, combine 1 1/4 tazas de agua con el azúcar. Calentar hasta que el azúcar se disuelva. Deje hervir, retire del fuego y deje enfriar a temperatura ambiente. Refrigere 2 hrs.

Licue los ingredientes restantes con 1/2 taza de agua. Refrigere 2 hrs.

Agregue la mezcla de azúcar a la fruta y congele de acuerdo con las instrucciones.

Sorbete de jugo de arándano

El sabor ácido de arándano hace que esta parte sea particularmente refrescante.

- 3 tazas más 6 cucharadas de jugo de arándano enlatado o embotellado
- $\frac{1}{2}$ taza más 1 cucharada de almíbar simple

Mezcle el jugo de arándano y el almíbar simple.

Vierta la mezcla en el bol de la heladera y congele. Siga el manual de instrucciones del fabricante.

Sorbete de kiwi

El hermoso color verde complementa el tono rosado de un sorbete de fresa, agradando tanto a la vista como al paladar.

- 8 kiwis
- 1 1/3 tazas de almíbar simple
- 4 cucharaditas de jugo de limón fresco

Pela los kiwis. Haz puré en un procesador de alimentos. Deberías tener unas 2 tazas de puré.

Agregue el almíbar simple y el jugo de limón.
Vierta la mezcla en el bol de la heladera y congele. Siga el manual de instrucciones del fabricante.

Sorbete de miel y limón

- $\frac{1}{2}$ taza de agua caliente 2/3 taza de miel
- 1 cucharada de ralladura de limón rallada
- 1 taza de jugo de limón fresco
- 2 tazas de agua fría

Coloque el agua caliente, la miel y la ralladura en el bol. Revuelva hasta que la miel se disuelva. Agrega el jugo de limón y el agua fría.

Vierta la mezcla en el bol de la heladera y congele. Siga el manual de instrucciones del fabricante.

Durante el primer siglo, el emperador Nerón envió corredores a las montañas en busca de nieve que luego se aromatizó con miel, jugos y pulpas de frutas.

Cuando Marco Polo regresó del Lejano Oriente a fines del siglo XIII, tenía una receta para un postre helado que incluía leche en los ingredientes, que parecía parecerse a un sorbete moderno.

Sorbete de lima y daiquiri

Rinde 1 cuarto

- 2 1/2 tazas de jugo de limón fresco (10 a 12 limones grandes)
- Ralladura de 3 limas
- 1 1/3 tazas de azúcar granulada
- 1 taza de ron
- 1/2 taza de agua

Procese todos los ingredientes en una licuadora o procesador de alimentos con cuchilla de metal. Congele en una máquina para hacer helados, siguiendo las instrucciones del fabricante.

Sorbete de lima

- 3 tazas de agua
- 1 1/4 tazas de azúcar granulada
- 3/4 taza de jarabe de maíz ligero
- 2/3 taza de jugo de limón fresco (4 limones grandes o 6 medianos)
- Rodajas de lima para decorar (opcional)

Combine el agua con el azúcar y el jarabe de maíz en una cacerola pesada. Revuelva a fuego alto para disolver el azúcar.

Llevar a hervir. Reduzca el fuego a temperatura moderada y deje hervir durante 5 minutos sin revolver.

Retirar del fuego y dejar enfriar a temperatura ambiente.

Incorpora el jugo de limón. Vierta en un tazón de metal para mezclar y congele hasta que esté firme por completo. Coloque las batidoras en el congelador para que se enfríen.
Retire la mezcla de lima del congelador. Romperlo con una cuchara de madera. Batir a velocidad baja hasta que no queden grumos. Regrese al congelador hasta que esté firme nuevamente. Re-batir con batidores chi lled

El sorbete se mantendrá en el congelador con una consistencia suave durante semanas. El jugo de limón se puede sustituir por jugo de lima y se puede agregar colorante verde para alimentos.
El aspecto claro y limpio del sorbete de lima sin colorear con una guarnición de rodajas de lima es hermoso.

Rinde de 4 a 6 porciones

Sorbete de mandarina

- Cinco latas de 11 onzas de mandarinas envasadas en almíbar ligero, 1 taza de azúcar extrafina
- 3 cucharadas de jugo de limón fresco

Escurre las naranjas y reserva 2 tazas de almíbar. Tritura las naranjas en un robot de cocina. Agregue el almíbar reservado, el jugo de limón y el azúcar.

Vierta la mezcla en el bol de la heladera y congele. Siga el manual de instrucciones del fabricante.

Sorbete de jarabe de arce

- 1 1/3 tazas de jarabe de arce Vermont grado A
- 2 tazas de agua

Combina el jarabe de arce y el agua. Vierta la mezcla en el bol de la heladera y congele. Siga el manual de instrucciones del fabricante.

GELATOS

Helado de crema

Este helado italiano más simple está hecho con natillas de huevo cocidas y crema y se puede usar como base para casi todos los demás sabores de helado. También es delicioso solo.

- 2 1/2 tazas de crema ligera
- 5 yemas de huevo
- 1/2 taza de azúcar extrafina

Calentar la nata hasta que empiece a burbujear, luego enfriar un poco.
En un tazón grande resistente al calor, bata las yemas de huevo y el azúcar hasta que esté espeso y cremoso. Batir suavemente la crema refrescante en los huevos.
Coloque el tazón sobre una cacerola con agua hirviendo a fuego lento y revuelva con una cuchara de madera hasta que la natilla cubra el dorso de la cuchara. Retirar el bol y dejar enfriar.

Cuando la crema esté completamente fría, viértela en una máquina para hacer helados y procesa de acuerdo con las instrucciones del fabricante o usa el método de mezcla manual . Deje de batir cuando esté casi firme, transfiéralo a un recipiente para congelador y déjelo en el congelador durante 15 minutos antes de servir, o hasta que lo necesite.

Es mejor comer este helado fresco, pero se puede congelar hasta por 1 mes. Sacar al menos 15 minutos antes de servir para que se ablanden un poco.

Rinde aproximadamente 1 1/4 pintas

Helado de pistacho

Este es realmente el helado de ensueño de un amante de las nueces, especialmente si haces la variación de nueces.

- 2 tazas de pistachos sin cáscara
- unas gotas de extracto puro de almendra
- unas gotas de extracto puro de vainilla
- 1 receta de helado de crema

Remojar los pistachos sin cáscara en agua hirviendo durante 5 minutos, luego escurrir y frotar la piel con un paño limpio. Muele las nueces hasta obtener una pasta en una licuadora o procesador de alimentos con unas gotas de cada uno de extracto de almendra y vainilla, agregando solo un poco de agua caliente para ayudar a crear un puré suave.

Prepara el helado básico o una de sus variantes. Revuelva el puré en el helado, pruebe y agregue unas gotas más de uno o ambos extractos, si es necesario, al gusto.

Vierta en una máquina para hacer helados y procese de acuerdo con las instrucciones del fabricante o en un recipiente para congelador y use el método de mezcla manual . Deje de batir cuando esté casi firme, transfiéralo a un recipiente para congelador y déjelo en el congelador durante 15 minutos antes de servir, o hasta que lo necesite.

Un helado rico de nueces como este no debe congelarse por más de un par de semanas. Sácalo del congelador 15 minutos antes de servir para que se ablande un poco.

Rinde aproximadamente 1 1/2 pintas

Helado de chocolate amargo

Tal como debe ser un buen helado de chocolate: ¡oscuro, amargo y suave!

- 2 1/2 tazas de leche entera
- 7 oz. chocolate amargo, partido en pedazos
- 5 yemas de huevo
- 1/4 taza de azúcar morena clara
- 1 taza de crema espesa, batida

Caliente la mitad de la leche en una sartén con el chocolate hasta que se derrita y esté suave, revolviendo de vez en cuando. Dejar enfriar. Lleve el resto de la leche a punto de ebullición. En un tazón grande resistente al calor, bata las yemas de huevo y el azúcar hasta que espese, luego agregue gradualmente la leche caliente. Coloque el tazón sobre una olla con agua hirviendo y revuelva con una cuchara de madera hasta que la crema pastelera cubra el dorso de la cuchara. Retirar del fuego y dejar enfriar por completo.
Cuando se enfríe, mezcle las natillas y la leche con chocolate, luego agregue la crema batida. Vierta en una máquina para hacer helados y procese de acuerdo con las instrucciones del fabricante o vierta en un recipiente para congelador y use el método de mezcla manual . Batir por solo 15 a 20 minutos o hasta que esté firme. Transfiera al congelador y congele por 15 minutos antes de servir o hasta que se requiera.

Este helado de textura densa se come mejor fresco, pero se puede congelar hasta por 1 mes. Sacar al menos 15 minutos antes de servir para que se ablanden un poco.

Rinde aproximadamente 2 1/2 pintas

Helado ondulado de frambuesa

Cuando las frambuesas estén en su mejor momento, disfrute de este helado de colores brillantes que rebosa de sabor dulce y fresco.

- 4 tazas de frambuesas frescas
- 1/4 taza de azúcar extrafino
- 1 cucharadita jugo de limon
- 1 receta de helado de crema

Saque 1/4 taza de frambuesas y tritúrelas brevemente. Dejar de lado. Mezcle las bayas restantes, el azúcar y el jugo de limón. Presione a través de un colador. Reserva 4 cucharadas de puré para que se enfríe. Prepara la receta básica de gelato di crema. Incorpora el puré de frambuesa a la natilla enfriada. Batir o congelar como antes hasta que estén casi firmes.
Transfiera el helado a un recipiente hermético para congelar y agregue cucharadas alternas del puré de frutas reservado y las frambuesas trituradas, de modo que la mezcla se ondule a medida que la sirva. Congele durante 15 minutos o hasta que se requiera.
Este helado se puede congelar durante aproximadamente 1 mes. Retirar del congelador al menos 15 minutos antes de servir para ablandar, porque las frutas enteras pueden dificultar el servicio.

Rinde aproximadamente 1 1/4 pintas

Helado de limón

Este es un helado con delicado sabor a limón, perfecto para disfrutar con frutas frescas.

- 1 receta de helado ligero
- 2 limones sin encerar

Prepare el helado ligero básico y luego mezcle la ralladura fina de los limones y al menos 1/2 taza de jugo de limón. Vierta en una máquina para hacer helados y procese de acuerdo con las instrucciones del fabricante, o use el método de mezcla manual . Deje de batir cuando esté casi firme, transfiéralo a un recipiente para congelador y déjelo en el congelador durante 15 minutos antes de servir, o hasta que lo necesite.
Es mejor comer este helado fresco, pero se puede congelar hasta por 1 mes. Sacar del congelador 15 minutos antes de servir para ablandar un poco.

Rinde aproximadamente 1 1/4 pintas

Helado de tutti-frutti

Agregue una gran cantidad de colores y sabores a un helado simple y cree su propia obra maestra.

- 1 receta de helado de crema
- 1 taza de frutas confitadas, cristalizadas o glaseadas picadas (cerezas, piña, cáscara de cítricos, jengibre)

Prepare el helado básico y bata hasta que esté parcialmente congelado. Mezcle sus frutas preferidas y congele hasta que sea necesario.
Aunque es mejor comerlo fresco, este helado se puede congelar hasta por 1 mes. Sacar del congelador 15 minutos antes de servir para ablandar un poco.

Rinde aproximadamente 1 1/2 pintas

Helado de café

¡Este es el helado perfecto para después de la cena con un poco de crema batida y quizás una pizca de licor!

- 1 1/4 tazas de crema ligera
- 5 yemas de huevo
- 1/2 taza de azúcar extrafina
- 1 cucharadita extracto puro de vainilla
- 1 1/4 tazas de espresso extrafuerte recién hecho

Calentar la nata hasta que empiece a burbujear, luego enfriar un poco.
En un tazón grande resistente al calor, bata las yemas de huevo, el azúcar y la vainilla hasta que esté espeso y cremoso. Agregue la crema caliente y el café y luego coloque el tazón sobre una olla con agua hirviendo a fuego lento. Revuelva constantemente con una cuchara de madera hasta que las natillas cubran el dorso de la cuchara.
Retirar el bol del fuego y dejar enfriar. Cuando esté completamente frío, vierta en una máquina para hacer helados y procese de acuerdo con las instrucciones del fabricante, o use el método de mezcla manual . Deje de batir cuando esté casi firme, transfiéralo a
un recipiente para congelador y déjelo en el congelador durante 15 minutos antes de servir, o hasta que lo necesite.
Este helado es delicioso fresco, pero se puede congelar hasta por 3 meses. Sacar 15 minutos antes de servir para ablandar un poco.

Helado de kumquat

Agregar esta fruta cítrica dulce y pegajosa estilo mermelada le da un grosor inusual al helado.

- 2 tazas de kumquats en rodajas
- 2 cucharadas. ron oscuro o jugo de naranja
- 3 cucharadas azúcar morena clara
- 2 a 3 cucharadas agua caliente
- 1 receta de helado de crema

Cuece los kumquats en una cacerola pequeña con el ron, el azúcar morena y el agua caliente. Déjelos burbujear suavemente hasta que se vuelvan dorados y almibarados. Retírelo del calor. Reserva 2 cucharadas de la fruta en almíbar si deseas decorar el helado con ella. Fresco.

Prepare el helado básico y agregue la fruta enfriada antes de batir. Esta mezcla tomará solo la mitad del tiempo de congelación habitual.

Cubra con la fruta reservada cuando sirva.

Este helado se puede almacenar hasta 1 mes en el congelador. Recuerda sacarlo 15 minutos antes de servir para que se ablande un poco.

Gelato de almendra y amaretto

Rinde 6 porciones

- 4 tazas de crema espesa
- 5 yemas de huevo
- 1 taza de azúcar granulada
- 1 taza de almendras blanqueadas trituradas
- 1 cucharada de licor de amaretto

Verter la nata en un cazo y calentar suavemente.

Batir las yemas de huevo y el azúcar hasta que estén pálidas y cremosas. Bate 2 cucharadas de la crema caliente en la mezcla de huevo, luego agrega la crema restante, media taza a la vez.

Vierta a baño maría o en un recipiente sobre una olla con agua hirviendo y cocine a fuego suave, revolviendo constantemente de 15 a 20 minutos, hasta que la mezcla cubra el dorso de una cuchara. Enfriar la mezcla, luego enfriar.

Vierta la mezcla fría en una máquina para hacer helados y bata de acuerdo con las instrucciones del fabricante. Mientras se bate la paleta, agregue las almendras y el Amaretto, congele el helado durante la noche. Coloque en el refrigerador unos 20 minutos antes de servir.

Helado de avena y canela

Rinde aproximadamente 1 cuarto de galón

- Base de helado en blanco
- 1 taza de avena
- 1 cucharada de canela molida

Prepare la base en blanco de acuerdo con las instrucciones.

En una sartén pequeña a fuego medio, combine la avena y la canela. Tuesta, revolviendo regularmente, durante 10 minutos o hasta que esté dorado y aromático.

Para infundir, agregue la canela tostada y la avena a la base a medida que salen de la estufa y deje reposar durante unos 30 minutos. Usando un colador de malla colocado sobre un tazón; cuele los sólidos, presionando para asegurarse de obtener la mayor cantidad posible de crema aromatizada. Puede que salga un poco de pulpa de avena, pero está bien, ¡es delicioso! ¡Reserva los sólidos de avena para la receta de avena!

Perderás algo de mezcla por absorción, por lo que el rendimiento de este helado será un poco menor de lo habitual.

Guarde la mezcla en su refrigerador durante la noche. Cuando esté listo para hacer el helado, vuelva a mezclarlo con una licuadora de inmersión hasta que quede suave y cremoso.

Vierta en una máquina para hacer helados y congele de acuerdo con las instrucciones del fabricante. Almacene en un recipiente hermético y congele durante la noche.

GRANITAS

Granizado de sandía

- 3 tazas de puré de sandía (aproximadamente 1 pieza de 3/4 lb)
- 1/2 taza de azúcar extrafina
- 2 cucharaditas extracto puro de vainilla
- jugo de 1 pomelo rosado o rojo

Mezclar el puré de sandía con los demás ingredientes. Enfríe de 1 a 2 horas, revolviendo ocasionalmente para asegurarse de que el azúcar se disuelva.

Vierta en un recipiente para congelador y congele hasta que esté casi firme. Revuelva con un tenedor para romper en cristales. Vuelva a colocar en el congelador y vuelva a congelar hasta que esté casi firme.

Retirar, romper en cristales agradables y uniformes y servir en bonitas copas de cóctel.

Rinde aproximadamente 1 1/4 pintas

Granizado de lavanda

Las bonitas cabezas de lavanda rosa-violeta producen este impresionante helado de agua con un sabor delicadamente perfumado.

- 2 cucharadas. cabezas de lavanda fresca
- 1/2 taza de azúcar extrafina
- 1 taza de agua hirviendo
- 1 taza de agua helada
- 2 cucharaditas jugo de limon
- 2 cucharaditas zumo de naranja

Coloque las cabezas de lavanda y el azúcar en un bol y agregue el agua hirviendo. Revuelva bien, luego cubra y deje enfriar por completo.
Colar, luego agregar el agua fría y los jugos de frutas. Vierta en un recipiente para congelador y congele hasta que esté casi firme, rompiendo con un tenedor una vez durante la congelación. Justo antes de servir, vuelva a romper con un tenedor en cristales agradables y uniformes.
El sabor de este delicado hielo desaparecerá pronto, así que cómelo lo antes posible.

Rinde aproximadamente 1 pinta

Granizado de chocolate amargo

Si no ha probado un helado de agua de chocolate antes, ¡está de enhorabuena! Es como comerse una barra congelada de chocolate desmenuzado, definitivamente para los adictos al chocolate.

- 2 1/2 tazas de agua
- 3/4 taza de azúcar morena oscura
- 1/2 taza de cacao en polvo sin azúcar, tamizado
- 3 cucharadas jarabe de maíz ligero
- 1/2 taza de chocolate blanco, en copos, rallado o finamente picado, y más para decorar

Caliente suavemente el agua, el azúcar morena, el cacao y el jarabe de maíz hasta que se mezclen. Revuelva suavemente hasta que la mezcla esté suave. Dejar enfriar por completo.

Agrega el chocolate blanco. Vierta en un recipiente para congelador y congele hasta que esté casi firme, revolviendo y rompiendo una vez durante la congelación. Justo antes de servir, vuelva a romper para lograr una consistencia granular agradable.

Para servir, coloque en tazones y espolvoree con más chocolate blanco.

Rinde aproximadamente 1 1/2 pintas

Granizado de limón y lima

Pruebe la mezcla antes de ponerla en la máquina de helado para que pueda ajustar la nitidez de la fruta o la dulzura del azúcar a su gusto.

Aproximadamente 6 porciones

- 2 limones
- 2 limones
- 150 g / 5½ oz de azúcar en polvo dorada

Exprime el jugo de los limones y las limas en una jarra grande. Agregue el azúcar y 300ml / ½ pinta de agua.

Tape y refrigere durante unos 30 minutos o hasta que el azúcar se haya disuelto y la mezcla esté bien fría.

Vierta la mezcla en la máquina para hacer helados y congele según las instrucciones. Tan pronto como comiencen a formarse cristales de hielo, transfiéralos a un recipiente poco profundo.

Congele hasta que se forme una capa gruesa de cristales de hielo grandes alrededor de los bordes.
Con un tenedor, rompa el hielo en trozos más pequeños y revuélvalos en el centro del recipiente.

Congela de nuevo repitiendo los pasos 4 y 5 hasta que la mezcla parezca hielo picado crujiente.

Granizado de Piña Colada

Rendimiento: 6 porciones

- 2 1/2 tazas de piña, en cubos de 1/2 pulgada
- 1 lata (12 onzas) de crema de coco
- 1/2 taza de jugo de lima fresco
- 1/2 taza de jugo de naranja natural
- 3 cucharadas de ron oscuro
- 2 cucharadas de Triple Sec

Trabajando en lotes, procese la piña en un procesador de alimentos durante 15 segundos. Transfiera a un tazón grande. Agregue la crema de coco, el jugo de lima, el jugo de naranja, el ron y Triple Sec.

Cubra con una envoltura de plástico y coloque en el congelador durante la noche.

Trabajando en lotes, presione la mezcla congelada en un procesador de alimentos 10 veces y luego procese hasta que quede suave, aproximadamente 90 segundos.

Cubra y congele 2 horas, o hasta que esté firme.

Granizado de tomate, chile y vodka

Aproximadamente 4 porciones

- Tarro 250g de salsa de tomate de buena calidad con guindilla
- vodka
- 2 puñados de hojas de apio picadas

Vierta el frasco de salsa en un recipiente para congelador poco profundo.

Llene la jarra hasta la mitad con vodka y llene hasta el borde con agua fría. Agregue la mezcla a la salsa y revuelva.

Agregue las hojas de apio y reserve un poco para decorar. Mezclar hasta que esté bien combinado. Congele durante aproximadamente 5 horas hasta que esté sólido, revolviendo las áreas congeladas desde los bordes hasta el centro del recipiente aproximadamente cada hora si es posible.

Aproximadamente 30 minutos antes de servir, rompa la mezcla con un tenedor. Regrese la mezcla crujiente al congelador por 30 minutos.

Vierta en vasos y sirva inmediatamente, adornado con hojas de apio.

Granizado de menta verde

Este helado de agua maravillosamente aromático es delicioso después de los platos picantes como limpiador del paladar o como bebida refrescante y fangosa en un día caluroso. O sírvalo como frappé después de la cena.

- 1 1/2 tazas (12 fl oz) de agua hirviendo
- 8 ramitas de menta fresca (preferiblemente recogidas temprano en el día o usadas inmediatamente después de la compra)
- 3/4 taza de azúcar extrafina
- 1 1/2 tazas de agua helada
- 2 cucharadas. hojas de menta fresca finamente picadas
- colorante verde para alimentos (opcional)
- ramitas de menta para decorar (opcional)

Vierta el agua hirviendo sobre las ramitas de menta y el azúcar en un bol y deje enfriar, revolviendo de vez en cuando. Agrega el agua helada y enfría.
Cuele el líquido en un recipiente para congelador y agregue la menta picada (agregue unas gotas de colorante verde para alimentos si lo desea). Congele hasta que esté parcialmente congelado, luego revuelva con un tenedor para romper en cristales. Regrese al congelador y vuelva a congelar hasta que esté casi firme. Retire y revuelva con un tenedor para que se rompan en cristales agradables y uniformes.

Sirva en vasos altos helados, con más ramitas de menta si lo desea.**Rinde aproximadamente 1 1/4 pintas**

Granizado de café

Este es un helado de agua de café negro fuerte templado con un poco de dulzura y cubierto con un remolino de crema de nuez.

- 3 tazas de café negro muy fuerte recién hecho
- 1/3 taza de azúcar extrafina
- 1/4 cucharadita extracto puro de vainilla
- 1 taza de agua fría
- 1 taza de nata para montar
- 2 cucharadas. avellanas tostadas

Mezcle el café caliente, el azúcar y la vainilla. Deje enfriar, revolviendo ocasionalmente hasta que el azúcar se haya disuelto. Agrega el agua fría y vierte en un recipiente para congelador.
Congele hasta que esté fangoso. Rompa ligeramente con un tenedor, luego continúe congelando hasta que esté casi firme.
Moler finamente la mayoría de las nueces y triturar el resto. Batir la nata hasta que esté espumosa e incorporar las nueces molidas. Coloque en el congelador durante los últimos 15 minutos antes de servir.
Enfríe de 4 a 6 vasos altos. Saca el granizado del congelador y rómpelo con un tenedor. Llena los vasos fríos con los cristales de hielo de café. Cubra con un remolino de crema helada y espolvoree algunas de las nueces

trituradas. Vuelva a congelar por no más de una hora, luego sirva directamente del congelador.**Rinde aproximadamente 1 1/2 pintas**

HELADOS A BASE DE ALCOHOL

Helado de albaricoque Earl Grey

- 1 taza (aproximadamente 6 onzas) de albaricoques secos
- 1/3 taza más 2 cucharadas de azúcar granulada
- 2/3 taza de agua
- 1 1/2 tazas de leche
- 2 cucharadas de hojas de té Earl Grey
- 1 1/2 tazas de crema espesa
- Pizca de sal
- 4 yemas de huevo
- 1 cucharada de brandy de albaricoque o licor de naranja

En una cacerola pequeña y pesada, combine los albaricoques, 2 cucharadas de azúcar y agua. Llevar a ebullición a fuego moderado. Reduzca el fuego a moderadamente bajo y cocine a fuego lento, sin tapar, hasta que los albaricoques estén tiernos, de 10 a 12 minutos.

Transfiera los albaricoques y el líquido restante a un procesador de alimentos y haga puré hasta que quede suave, raspando los lados del tazón una o dos veces. Dejar de lado.

En una cacerola mediana pesada, combine la leche y las hojas de té. Calentar a fuego lento hasta que la leche esté caliente. Retirar del fuego y dejar reposar durante 5 minutos. Colar la leche con un colador de malla fina.

Regrese la leche a la cacerola y agregue la crema espesa, el 1/3 de taza restante de azúcar y sal. Cocine a fuego moderado, revolviendo frecuentemente con una cuchara de madera, hasta que el azúcar se disuelva por completo y la mezcla esté caliente, de 5 a 6 minutos. Retirar del fuego.

En un tazón mediano, bata las yemas de huevo hasta que se mezclen. Poco a poco, agregue un tercio de la crema caliente en un chorro fino, luego mezcle la mezcla nuevamente con la crema restante en la cacerola.

Cocine a fuego moderadamente bajo, revolviendo constantemente, hasta que las natillas cubran ligeramente el dorso de la cuchara, de 5 a 7 minutos; no dejes hervir.

Retirar inmediatamente del fuego y colar las natillas en un tazón mediano. Coloque el tazón en un tazón más grande con hielo y agua. Deje que las natillas se enfríen a temperatura ambiente, revolviendo ocasionalmente.

Agregue el puré de albaricoque reservado y el brandy hasta que se mezclen. Cubra y refrigere hasta que esté frío, al menos 6 horas o toda la noche.

Vierta las natillas en una máquina para hacer helados y congele de acuerdo con las instrucciones del fabricante.

Helado de chocolate con ron y pasas

Porciones: 4

- 1 taza de nata para montar
- 1/2 taza de pasas cubiertas de chocolate de Brach
- 3/4 taza de leche
- 1 huevo
- 2 cucharaditas de saborizante de ron

En una cacerola pequeña a fuego medio, combine la crema batida y las pasas cubiertas de chocolate. Revuelva hasta que el chocolate se derrita. Retírelo del calor.

Batir la leche, el huevo y el saborizante. Enfriar. Congele de acuerdo con las instrucciones del fabricante.

Helado De Mantequilla De Brandy

- 1/2 pinta de crema batida
- 1/4 pinta de leche
- 5 onzas de azúcar en polvo
- 1 cucharada de extracto de vainilla
- 5 cucharadas de brandy
- 3 onzas de mantequilla sin sal, ablandada

Vierta la crema y la leche en un tazón y bata hasta que esté suave. Agregue el azúcar, el extracto de vainilla, el brandy y la mantequilla hasta que quede suave. Vierta en un recipiente para congelador y congele de acuerdo con las instrucciones del fabricante hasta que esté sólido.

Lleno de helado de chocolate

- 3 onzas de chocolate sin azúcar, picado grueso
- 1 lata (14 onzas) de leche condensada azucarada
- 1 1/2 cucharaditas de extracto de vainilla
- 4 cucharadas de mantequilla sin sal
- 3 yemas de huevo
- 2 onzas de chocolate semidulce
- 1/2 taza de café negro fuerte
- 3/4 taza de azúcar granulada
- 1/2 taza de crema ligera
- 1 1/2 cucharaditas de ron oscuro
- 2 cucharadas de crema de cacao blanca
- 2 tazas de crema espesa
- 2 onzas de chocolate sin azúcar, finamente rallado
- 1/4 cucharadita de sal

En baño maría, derrita 3 onzas de chocolate sin azúcar. Agregue la leche, revolviendo hasta que quede suave. Agregue el extracto de vainilla y retire del fuego.

Corte la mantequilla en cuatro trozos iguales y agregue, una pieza a la vez, revolviendo constantemente hasta que se haya incorporado toda la cola . Batir las yemas hasta que estén claras y de color limón.

Agregue gradualmente la mezcla de chocolate y continúe revolviendo hasta que quede suave y cremoso. Dejar de lado.

En baño maría, caliente 2 onzas de chocolate semidulce, café, azúcar y crema ligera. Revuelva constantemente hasta que quede suave. Agregue el ron y la crema de cacao y deje que la mezcla se enfríe a temperatura ambiente.

Combine ambas mezclas de chocolate, la crema espesa, el chocolate rallado sin azúcar y el listón en un tazón grande. Vierta la mezcla en el recipiente del congelador de helado y congele de acuerdo con las instrucciones del fabricante.

Helado de chocolate y ron

- 1/4 taza de agua
- 2 cucharadas de café instantáneo
- 1 paquete (6 onzas) de chispas de chocolate semidulce
- 3 yemas de huevo
- 2 onzas de ron oscuro
- 1 1/2 tazas de crema espesa, batida
- 1/2 taza de almendras rebanadas, tostadas

En una cacerola pequeña, coloque el azúcar, el agua y el café. Revolviendo constantemente, lleve a ebullición y cocine por 1 minuto. Coloque las chispas de chocolate en una licuadora o procesador de alimentos, y con el motor en marcha, vierta el almíbar caliente y mezcle hasta que quede suave. Batir las yemas de huevo y el ron y enfriar un poco. Doble la mezcla de chocolate en crema batida, luego vierta en platos individuales para servir o en un plato bombé. Espolvorea con almendras tostadas. Congelar.

Para servir, retire del congelador al menos 5 minutos antes de servir.

Helado de pudín de Navidad

- Aproximadamente 6 a 8 porciones
- Caja de 284ml de nata líquida, fría
- Crema pastelera prefabricada caja de cartón de 500g
- 2 cucharadas de brandy o ron
- Aproximadamente 225 g / 8 oz de pudín de Navidad

Vierta la crema en una jarra grande. Con un batidor, agregue las natillas y el brandy / ron.

Cubra y refrigere durante unos 30 minutos o hasta que esté bien frío.

Vierta la mezcla en la máquina para hacer helados y congele según las instrucciones.

Mientras tanto, desmenuce o pique el pudín de Navidad en trozos muy pequeños, transfiéralo a un recipiente adecuado y agregue el pudín desmenuzado.

Congelar hasta que se requiera.

Helado de dátiles

- 1/3 taza de dátiles sin hueso picados
- 4 cucharadas de ron
- 2 huevos, separados
- 1/2 taza de azúcar granulada
- 2/3 taza de leche
- 1 1/2 tazas de requesón
- Ralladura fina y jugo de 1 limón
- 2/3 taza de crema batida
- 2 cucharadas de jengibre de tallo finamente picado

Remoje los dátiles en ron durante aproximadamente 4 horas. Poner las yemas de huevo y el azúcar en un bol y batir hasta que estén livianos. Caliente la leche a fuego lento en una cacerola y luego revuelva con las yemas de huevo. Regrese la mezcla a la sartén enjuagada y cocine a fuego lento, revolviendo constantemente, hasta que espese. Deje enfriar, revolviendo ocasionalmente.

Procese el requesón, la ralladura de limón y el jugo y el ron colado de los dátiles en una licuadora o procesador de alimentos hasta que quede suave y luego mezcle con las natillas. Vierta la mezcla en un recipiente, cubra y congele hasta que esté firme. Convierta en un tazón, bata bien, luego agregue la crema batida, los dátiles y el jengibre. Batir las claras de huevo en un tazón hasta que estén firmes pero no secas y mezclarlas con la mezcla de frutas. Vuelva a colocar la mezcla en el recipiente. Cubra y congele hasta que esté firme.

Aproximadamente 30 minutos antes de servir, transfiera el helado al refrigerador.

Para 6.

Café irlandés

El café irlandés se prepara endulzando un café fuerte con un poco de azúcar morena, agregando un chorrito de whisky y dejando una capa gruesa de crema por encima. Obtienes la cantidad justa de cada elemento mientras bebes esta bebida clásica, que se hizo popular a principios de la década de 1950, y obtendrás todos esos sabores en esta versión de helado con mezcla de w hiskey.

- 1 taza de leche entera
- 1½ cucharadas de café instantáneo o espresso en polvo
- λ ⅔ taza de azúcar morena, empacada
- 1 huevo grande
- 3 yemas de huevo grandes
- λ¼ taza de whisky irlandés
- λ½ cucharadita de extracto de vainilla
- 2 tazas de crema espesa

Combine la leche, el café instantáneo y el azúcar en una cacerola mediana. Cocine a fuego medio, revolviendo para disolver el azúcar, hasta que la mezcla hierva a fuego lento.

Batir el huevo y las yemas de huevo en un tazón grande. Cuando la mezcla de leche hierva a fuego lento, retírela del fuego y viértala muy lentamente en la mezcla de huevo para templarla mientras bate constantemente. Cuando se haya agregado toda la mezcla de leche, devuélvala a la cacerola y continúe cocinando a fuego medio, revolviendo constantemente, hasta que la mezcla se espese lo suficiente como para cubrir el dorso de una cuchara, de 2 a 3 minutos. Retire del fuego y agregue el whisky, la vainilla y la crema.

Enfríe la mezcla de leche a temperatura ambiente, luego cubra y refrigere hasta que esté bien fría, de 3 a 4 horas, o durante la noche. Vierta la mezcla fría en una máquina para hacer helados y congele como se indica.

Transfiera el helado a un recipiente apto para congelador y colóquelo en el congelador. Deje que se endurezca durante 1 a 2 horas antes de servir.

Helado de Ron y Pasas

Si el helado se congela por más de un día, el ron lo mantiene lo suficientemente suave como para servirlo directamente del congelador.

Aproximadamente 6 a 8 porciones

- 85g / 3 oz de pasas
- 3 cucharadas de ron oscuro
- Flan de cartón de 450g
- Caja de 284ml de nata líquida, fría
- 2 cucharadas de azúcar en polvo

Ponga las pasas en un tazón pequeño y espolvoree con el ron. Tapar y dejar reposar varias horas o, si el tiempo lo permite, toda la noche.

Vierta las natillas en una jarra y agregue la nata y el azúcar. Revuelva bien.

Enfríe la mezcla en el refrigerador durante 20 a 30 minutos.

Agrega las pasas y el ron a la mezcla de natillas.

Vierta la mezcla en la máquina para hacer helados y congele según las instrucciones.

Transfiera a un recipiente adecuado y congele hasta que se requiera.

Helado de azafrán

- 1 1/2 tazas mitad y mitad
- 1 huevo
- 1/2 gramo de azafrán picado fino
- brandy
- 1/3 taza de azúcar

Remojar el azafrán en una cantidad muy pequeña de brandy (suficiente para cubrirlo) durante una hora. Hervir el huevo durante exactamente 45 segundos. Combine todos los ingredientes y refrigere por 1/2 hora. Luego siga el procedimiento habitual para su heladera (hice esto usando el modelo más pequeño de Donvier).

Sirve alrededor de 3 personas. El sabor a azafrán era muy pronunciado; no querría aumentar la cantidad de azafrán de lo anterior y probablemente podría arreglárselas con menos.

LIBRO DE COCINA PARA HELADO

5 0 recetas fáciles y deliciosas

Alina Mendez

Descargo de responsabilidad

La información contenida i está destinada a servir como una colección completa de estrategias sobre las que el autor de este libro electrónico ha investigado. Los resúmenes, estrategias, consejos y trucos son solo recomendaciones del autor, y la lectura de este libro electrónico no garantiza que los resultados de uno reflejen exactamente los resultados del autor. El autor del eBook ha realizado todos los esfuerzos razonables para proporcionar información actualizada y precisa a los lectores del eBook. El autor y esLos asociados no serán responsables de ningún error u omisión no intencional que se pueda encontrar. El material del eBook puede incluir información de terceros. Los materiales de terceros forman parte de las opiniones expresadas por sus propietarios. Como tal, el autor del libro electrónico no asume responsabilidad alguna por el material u opiniones de terceros. Ya sea debido a la progresión de Internet o a los cambios imprevistos en la política de la empresa y las pautas de presentación editorial, lo que se declara como un hecho en el momento de escribir este artículo puede volverse desactualizado o inaplicable más adelante.

RECETAS DE HELADOS

Sándwiches de Fresa Italiano

Sándwiches de pastel de zanahoria

Helado de jengibre y nueces

DELICIOS FRESCOS Y FRUTALES

Romanoff helado de mora y pera

Un delicioso postre familiar otoñal de moras, peras, crema batida, yogur espeso y merengues crujientes adquiere una nueva luz cuando está ligeramente congelado.

- 1 taza de puré de pera dulce
- 1 taza de crema espesa, batida
- 1 taza de yogur espeso al estilo griego
- ralladura fina de 1 limón
- 1 taza de merengues pequeños desmenuzados
- 1 taza de moras maduras dulces

En un tazón grande, mezcle el puré de pera, la crema batida, el yogur y la ralladura de limón. Agregue un poco de azúcar al gusto si lo desea, o si las moras no son demasiado dulces.
Ahora agregue los merengues desmenuzados y finalmente las moras, mezclando lo menos posible. Vierta con una cuchara en un recipiente de congelador profundo y congele durante 1 a 2 horas. No revuelva mientras se congela.
Para servir, vierta suavemente la mezcla en un plato para servir con algunas bayas más.

Rinde 2 pintas

Helado de remolino de melocotón y maracuyá

Este delicioso helado de melocotón suave tiene un remolino de maracuyá que lo atraviesa

- 1 1/4 tazas de crema espesa
- 1 cucharadita extracto puro de vainilla
- 2 huevos grandes
- 1/4 taza de azúcar extrafina o al gusto
- 2 cucharaditas maicena
- 1 cucharada. agua
- 4 duraznos grandes muy maduros
- jugo y ralladura fina de 1 naranja
- 4 maracuyá madura

En una cacerola pequeña llevar la nata y la vainilla al punto de ebullición. Retirar del fuego. En un bol, bata los huevos y el azúcar hasta que estén muy pálidos y un poco espesos. Batir un poco de la crema en los huevos hasta que estén bien mezclados, luego colar nuevamente en la cacerola. Licúa la maicena con el agua hasta que quede suave. Bátelo con la mezcla de crema y huevo, y vuelva a poner la sartén al fuego. No hierva, pero a medida que la mezcla comience a espesarse, revuelva constantemente hasta que cubra el dorso de una cuchara. Dejar enfriar, revolviendo ocasionalmente.
Coloque los duraznos en agua hirviendo durante aproximadamente 1 minuto o hasta que la piel se despegue

fácilmente. Licue o triture la pulpa con el jugo de naranja y la ralladura y cuele si es necesario. Coloque la pulpa del maracuyá en un tazón pequeño. Mezcle suavemente la crema pastelera enfriada y el puré de durazno. Ponga en una máquina para hacer helados y procese de acuerdo con las instrucciones del fabricante, o use el método de mezcla manual . Cuando esté casi firme, transfiéralo a un recipiente para congelador y agite la mayor parte de la fruta de la pasión. Congele hasta que esté firme o requerido. Este helado se puede congelar hasta por 1 mes. Deje que se ablanden unos 15 minutos antes de servir con un poco más de maracuyá encima.

Rinde 1 1/2 pintas

Soufflés de albaricoque helado

El final perfecto para una cena especial: estos soufflés individuales están casi congelados pero lo suficientemente suaves como para servirlos con una cuchara. Sírvelos con una salsa picante de grosellas negras.

- jugo y ralladura fina de 1 naranja
- 2 sobres (1/4 oz.) De gelatina sin sabor
- 3 huevos medianos, separados, más 2 claras más
- 1/2 taza de azúcar extrafina
- 1 cucharadita extracto puro de vainilla
- 1 taza de nata para montar
- 4 cucharadas Licor de amaretto
- 1 taza de puré de albaricoque
- 3/4 taza de grosellas negras (frescas o congeladas)
- 2 a 3 cucharadas azucar muy fina

Prepare 4 moldes envolviendo una banda de papel encerado alrededor del exterior de cada uno, llegando a aproximadamente 2 pulgadas por encima de los bordes; asegúrelo con cinta adhesiva. Engrase ligeramente el papel y el interior de los platos. Calentar el jugo de naranja en una cacerola pequeña, espolvorear sobre la gelatina y dejar que se disuelva. Fresco. Ponga la ralladura de naranja, las yemas, el azúcar y la vainilla en un tazón grande. Batir hasta que esté realmente espeso, pálido y cremoso. Déjelo enfriar un poco. En un recipiente aparte, bata las claras de huevo hasta que estén rígidas y

casi formen picos. En un tercer bol, bata la nata hasta que esté rígida y mantenga su forma. Revuelva la mezcla de gelatina, junto con el Amaretto, en las yemas batidas. A continuación, incorpore la nata montada, el puré de albaricoque y, por último, las claras. Cuando esté suave pero bien mezclado, vierta en los moldes, alise la parte superior y congele durante 2 a 3 horas.
Para hacer la salsa, caliente todas las grosellas negras menos algunas en una cacerola con el azúcar; cocine de 4 a 5 minutos. Vierta por un colador para quitar todas las semillas, si lo desea, luego agregue las grosellas negras enteras a la sartén. Dejar de lado. Para servir, saque los moldes del congelador 10 minutos antes de comer, retire el papel y haga un agujero en el centro de la parte superior. Calentar la salsa en el último minuto y verter un poco en el medio. Sirve el resto por separado.

Parfait de manzana y ciruela

En Francia, un parfait es más ligero y suave que un helado o un helado rico y especialmente bueno con frutas picantes. Es mejor congelarlo suavemente. En los Estados Unidos, un parfait es un postre en capas congelado. Este parfait es de ambos tipos.

- 3 ciruelas dulces maduras grandes
- 2 cucharadas. azúcar Demerara
- 4 cucharadas agua
- 2 manzanas dulces para comer
- 1 taza de azúcar granulada
- jugo y ralladura fina de 1/2 limón
- 5 yemas de huevo
- 1/2 taza más 2 cucharadas. crema espesa

Deshuesar y picar las ciruelas en trozos grandes y ponerlas en una cacerola pequeña con el azúcar demerara y el agua. Cocine a fuego lento hasta que las ciruelas estén suaves pero no se deshagan.

Deje a un lado la mitad de las ciruelas para que se enfríen, luego agregue las manzanas peladas, sin corazón y ralladas a la cacerola. Continúe cocinando hasta que la fruta esté lo suficientemente suave como para licuarla o triturarla. Déjelo enfriar completamente. Calentar lentamente el azúcar granulada con el jugo de limón en otra cacerola pequeña hasta que el azúcar se haya disuelto. Hervir de 2 a 3 minutos, luego retirar del fuego. Batir las yemas de huevo en un bol grande hasta que hayan doblado su tamaño. Luego, agregue lentamente el jarabe de azúcar de limón y la ralladura de limón, y continúe batiendo hasta que esté espeso y cremoso. Déjelo enfriar completamente.

Cuando tanto el puré de fruta como la mezcla de huevo estén fríos, batir la nata hasta que forme picos. Incorpora con cuidado primero la mezcla de frutas y luego la nata montada en las yemas de huevo batidas. Vierta con una cuchara en un recipiente pequeño para congelador y congele hasta que se congele por los lados. Batir con un tenedor hasta que quede suave y luego congelar hasta que esté firme pero no duro.

Para servir, coloque una cucharada de las ciruelas cocidas reservadas en la base de los vasos fríos, agregue unas cucharadas de parfait y cubra con más ciruelas. Sirva inmediatamente o enfríe brevemente.

Helado de natillas de plátano

Convierta esta combinación de sabores favorita muy rápidamente en el helado favorito de su familia.

- 4 plátanos maduros, y más para servir
- jugo de 1 limón
- 6 cucharadas miel clara
- 1 cucharadita extracto puro de vainilla
- 1 taza de natillas de vainilla caseras o compradas en la tienda
- 1 taza de crema espesa, batida suavemente, y más para servir
- fragmentos de caramelo

En una licuadora o procesador de alimentos, mezcle los plátanos con el jugo de limón, la miel y la vainilla hasta que quede cremoso. Mezcle la mezcla con las natillas de manera uniforme y luego agregue la crema batida.

Vierta la mezcla en un recipiente para congelador. Congele durante 1 hora, luego rómpalo con un tenedor hasta que quede suave nuevamente. Regrese al congelador hasta que esté firme o hasta que esté listo para servir.

Sirva bolas de helado con más rodajas de plátano y crema batida y un poco de trozos de caramelo.

Este helado se congelará hasta por 1 mes. Retirar del congelador 15 minutos o más antes de servir para ablandar un poco.

Para 6

Sorbete de frutas tropicales

Una mezcla de frutas tropicales le da un sabor maravillosamente exótico, pero puede usar lo que esté disponible en el momento de comprar. De hecho, cuando encuentres alguna de estas frutas en la tienda, este sorbete es una muy buena forma de probarlas primero.

- 2 tazas de frutas tropicales maduras peladas y picadas (guayaba, piña, mango, papaya)
- 1 taza de jarabe de azúcar
- 2 limones
- 1 taza de leche entera o suero de leche

Haga puré o mezcle la fruta tropical, luego presione a través de un colador de malla fina si desea una textura realmente suave.
Batir el almíbar de azúcar, la corteza finamente rallada de 1 lima y el jugo de ambos, y la leche. Vierta en un recipiente para congelador y congele, usando el método de mezcla manual , rompiendo dos o tres veces durante la congelación.
Congele hasta que esté firme, luego córtelo en cáscaras de piña pequeñas a la mitad o en platos para servir y espolvoree con nuez moscada recién rallada. Sirva con pequeñas frutas tropicales como lichi o uvas, o trozos tostados de coco fresco.

Este helado se puede congelar hasta por 1 mes. Retirar del congelador 10 minutos antes de servir para ablandar.

Rinde aproximadamente 1 1/2 pintas

Delicia de ruibarbo helado

Esta fruta extraña y de temporada tiene un sabor dulce único y un color rosa suave que hace un helado deslumbrante.

- 3 tazas de ruibarbo cortado y cortado
- 1/2 taza de azúcar extrafina
- 1 a 2 cucharaditas extracto puro de vainilla
- 1/4 cucharadita canela molida
- 1 taza de crema espesa, bien batida
- 1 taza de yogur natural

Coloque el ruibarbo, el azúcar y la vainilla en una cacerola pequeña y cocine a fuego lento durante unos 8 minutos hasta que estén muy tiernos. Alternativamente, cocine en el microondas a temperatura media durante 3 o 4 minutos, revolviendo ocasionalmente.

Triturar la fruta, agregar la canela y reservar hasta que se enfríe.

Doblar el ruibarbo en puré, la nata montada y el yogur. Vierta en el tazón de una máquina para hacer helados y procese, siguiendo las instrucciones del fabricante, o vierta en un recipiente para congelador y congele como se indica . Cuando el helado esté firme, congélelo brevemente antes de servirlo o hasta que lo necesite.

Este helado se puede congelar hasta por 3 meses. Retirar del congelador 15 minutos antes de servir para ablandar un poco.

Rinde aproximadamente 2 1/4 pintas

Helado de jengibre fresco

Dulce y picante, este helado de jengibre tiene una cualidad refrescante y adictiva que te dará ganas de comerlo una y otra vez.

- 2 tazas de crema espesa
- 1 taza de leche entera
- ¾ taza de azúcar
- 1 pieza (3 pulgadas) de raíz de jengibre fresca, pelada y picada en trozos grandes
- 1 huevo grande
- 3 yemas de huevo grandes
- 1 cucharadita de extracto de vainilla

Combine la crema, la leche, el azúcar y el jengibre en una cacerola grande. Deje hervir a fuego lento, revolviendo hasta que se disuelva el azúcar. Retírelo del calor. Tape y deje enfriar a temperatura ambiente. Cuela la mezcla para quitar toda la raíz de jengibre.

Lleve la mezcla de leche a hervir a fuego lento.

Batir el huevo y las yemas de huevo en un tazón grande. Cuando la mezcla de leche hierva a fuego lento, retírela del fuego y viértala muy lentamente en la mezcla de huevo para templarla mientras bate constantemente. Cuando se haya agregado toda la mezcla de leche, devuélvala a la cacerola y continúe cocinando a fuego medio, revolviendo constantemente, hasta que la mezcla se espese lo suficiente como para cubrir el dorso de una cuchara, de 2 a 3 minutos. Retire del fuego y agregue la vainilla.

Cubra la mezcla de leche y deje enfriar a temperatura ambiente, luego refrigere hasta que esté bien fría, de 3 a 4 horas, o durante la noche. Vierta la mezcla fría en una máquina para hacer helados y congele como se indica.

Transfiera el helado a un recipiente apto para congelador y colóquelo en el congelador. Deje que se endurezca durante 1 a 2 horas antes de servir.

Helado de melocotón fresco

- 2 cucharadas de gelatina sin sabor
- 3 tazas de leche, dividida
- 2 tazas de azúcar granulada
- 1/4 cucharadita de sal
- 6 huevos
- 1 1/2 tazas mitad y mitad
- 1 caja pequeña de pudín instantáneo de vainilla
- 1 cucharada más 2 cucharaditas de extracto de vainilla
- 4 tazas de duraznos triturados

Ablande la gelatina en 1/2 taza de leche fría. Escaldar otras 1 1/2 tazas de leche. Agregue la mezcla de gelatina hasta que se disuelva. Agregue azúcar, sal y 1 taza de leche restante.

Batir los huevos a alta velocidad de la batidora durante 5 minutos. Agregue mitad y mitad, mezcla de pudín, extracto de vainilla y mezcla de gelatina. Mezclar bien. Agrega los duraznos. Congele en el congelador de helado de acuerdo con las instrucciones del fabricante. Madurar durante 2 horas.

Rinde 1 galón

GATEAUX, BOMBAS Y TERRINAS

Terrina de macarrones congelados

Este favorito italiano es sublimemente dulce y a nuez, especialmente cuando está cubierto con praliné, y es muy fácil de hacer. El postre de fiesta perfecto.

- 2 claras de huevo
- 1/2 taza de azúcar glass, tamizada
- 2 tazas de crema espesa, batida suavemente
- 1 taza de macarrones triturados
- 3 cucharadas Licor de amaretto
- 1 taza de praliné de almendras trituradas
- rizos o formas de chocolate, para decorar

Batir las claras de huevo hasta que estén firmes y luego incorporar el azúcar hasta que esté espesa y brillante.

En otro tazón, bata la crema hasta que esté rígida, luego agregue los macarrones triturados y el
Amaretto. Incorporar las claras de huevo.
Vierta en una sartén para terrina de 3 × 11 pulgadas o en un molde para pan y congele durante la noche hasta que esté completamente firme.
Cuando esté listo para servir, déle la vuelta sobre una hoja de papel de aluminio doblada. Tenga el praliné en otra hoja. Cubra con cuidado la terrina con el praliné

triturado, presionando suavemente con una espátula para cubrir todo menos la base. Pasar la terrina a una fuente de servir y decorar con los trozos de chocolate.**Sirve de 8 a 10**

Tarta de helado de chocolate y cereza

- 1 taza (2 barras) de mantequilla sin sal
- 1 taza de azúcar extrafino
- 1 cucharadita extracto puro de vainilla
- 4 huevos batidos
- 2 tazas menos 1 cucharada colmada. harina para todo uso
- 1 cucharada colmada. cacao en polvo sin azúcar
- 1 1/2 cucharadita Levadura en polvo
- 4 tazas de cerezas picadas y sin hueso
- 1/2 taza de jugo de arándano
- 3 cucharadas azúcar morena clara
- 1/2 receta de helado de vainilla de lujo
- 1 taza de crema espesa, batida suavemente
- algunas cerezas para decorar
- rizos de chocolate

Precalienta el horno a 350 ° F (180 °
C). Engrase ligeramente un molde desmontable de 7 pulgadas o un molde para pasteles hondo de fondo suelto. Batir la mantequilla, el azúcar y la vainilla hasta que estén pálidos y cremosos. Batir suavemente los huevos por la mitad, luego incorporar gradualmente los

ingredientes secos, alternando con el resto de los huevos, hasta que estén bien mezclados. Vierta en el molde para pasteles preparado, aplanar la parte superior y hornear durante 35 a 40 minutos hasta que esté firme al tacto. Enfríe en la sartén, luego retírelo, envuélvalo en papel de aluminio y refrigere hasta que esté realmente frío, para facilitar el corte.

Pon las cerezas en una cacerola pequeña con el jugo de arándano y el azúcar morena. Cocine a fuego moderado hasta que esté tierno. Ponga a un lado para enfriar, luego refrigere hasta que esté realmente frío. Prepara el helado de vainilla hasta que tenga una consistencia que se pueda usar con una cuchara .
Con un cuchillo largo, corta el bizcocho en tres capas uniformes. Coloque una capa en el molde para pasteles de 7 pulgadas y cubra con la mitad de las cerezas y un tercio de su jugo. Cubrir con una capa de helado y luego con la segunda capa de bizcocho. Agrega el resto de las cerezas pero no todo el jugo (usa el resto del jugo para humedecer la parte inferior de la tercera capa del bizcocho). Cubrir con el resto del helado y la capa final del bizcocho. Presione bien, cubra con una envoltura de plástico y congele durante la noche. (Si lo desea, el pastel se puede almacenar en el congelador hasta por 1 mes).

Bombe de chocolate

Las bombas de helado parecen exóticas pero pueden ser sorprendentemente simples. Solo use un buen helado para la capa exterior, rodeando un relleno ligero y dulce de mousse.

- 1/2 receta de helado de chocolate amargo
- 1/2 taza de crema batida
- 1 clara de huevo pequeña
- 1/8 taza de azúcar extrafina
- 4 onzas. frambuesas frescas, trituradas y coladas
- 1 receta de salsa de frambuesa

En el congelador, enfríe un molde bombe de 3 1/2 a 4 tazas o un tazón de metal. Prepara el helado. Cuando tenga una consistencia untable, coloque el molde en un recipiente con hielo. Cubra el interior del molde con helado, asegurándose de que sea una capa gruesa y uniforme. Alise la parte superior. Coloca el molde inmediatamente en el congelador y congela hasta que esté realmente firme. Mientras tanto, batir la nata hasta que esté rígida. En un tazón aparte, bata la clara de huevo hasta que forme picos suaves, luego agregue suavemente el azúcar hasta que esté brillante y rígida. Doble la crema batida, la clara de huevo y las frambuesas coladas y enfríe. Cuando el hielo de chocolate esté realmente firme, coloca la mezcla de frambuesa en el centro de la bomba. Alise la parte superior, cubra con papel encerado o papel de aluminio y congele durante al menos 2 horas.

Aproximadamente 20 minutos antes de servir, retire la bomba del congelador, empuje un pincho fino por el medio para liberar la esclusa de aire y pase un cuchillo alrededor del borde superior interior. Invierta en un plato frío y limpie brevemente la sartén con un paño caliente. Apriete o agite la sartén una o dos veces para ver si la bomba se sale; si no, vuelva a limpiar con un paño caliente. Cuando se salga, es posible que deba limpiar la superficie superior con una espátula pequeña y luego volver al congelador de inmediato durante al menos 20 minutos para que se reafirme nuevamente.

Servir, cortado en rodajas, con la salsa de frambuesa. Esta bomba se mantendrá durante 3 a 4 semanas en su sartén en el congelador.

Gran marnier y soufflé helado de naranja

Este fabuloso postre tiene una textura crujiente pero que se derrite en la boca. Casi se puede comer directamente del congelador, pero también se puede reposar en la nevera durante un par de horas.

- 4 naranjas grandes
- 1 sobre (1/4 oz.) De gelatina sin sabor
- 6 huevos grandes, separados
- 1 taza más 2 cucharadas. azucar muy fina
- 4 a 6 cucharadas Grand Marnier
- 2 cucharadas. jugo de limon
- 1 3/4 tazas de crema batida, batida
- 2 cucharadas. agua
- pocos tallos de grosellas rojas

Prepare un plato de soufflé profundo de 7 pulgadas de ancho envolviéndolo en un collar de papel encerado doble que se encuentre aproximadamente a 2 pulgadas por encima del borde. Asegure el papel encerado con cinta adhesiva. Rallar finamente la ralladura de 2 naranjas y reservar. Exprime suficiente jugo de 2 o 3 de las naranjas para hacer 1 taza de jugo. Caliente el jugo de naranja y luego agregue la gelatina. Déjelo a un lado para que se disuelva o póngalo en un tazón pequeño sobre agua caliente hasta que se disuelva por completo.

Batir las yemas de huevo y 1 taza de azúcar hasta que estén espesas y cremosas. Agregue el jugo de naranja, la ralladura de naranja, el Grand Marnier y el jugo de limón. Ponga a un lado para enfriar pero no enfríe. Batir las claras de huevo hasta que estén firmes. Incorpóralos suavemente a la mezcla fría de naranja y yema de huevo, seguido de la crema batida, hasta que estén bien incorporados. Vierta en el plato de soufflé preparado y congele durante varias horas o toda la noche.

Cortar en rodajas finas y por la mitad la naranja restante y colocar en una sartén poco profunda o sartén con las 2 cucharadas de azúcar y 2 cucharadas de agua restantes. Cocine a fuego lento hasta que estén tiernos, luego cocine a fuego alto hasta que los gajos de naranja comiencen a caramelizar. Deje enfriar bien sobre una hoja de papel encerado.
Para servir, retire con cuidado el collar de papel de alrededor del suflé y coloque el plato en un plato para servir. Coloque los gajos de naranja caramelizada encima del suflé y agregue unos tallos de grosellas rojas frescas. Para 8 porciones

Mousses de chocolate doble helados

Irresistible para los adictos al chocolate y perverso para las personas que hacen dieta, ¡pero podrías compartir uno si eso te hace sentir menos culpable!

- 3 a 4 cucharadas. leche muy caliente
- 1 sobre (1/4 oz.) De gelatina sin sabor
- 1 1/2 tazas de trozos de chocolate blanco
- 4 cucharadas (1/2 barra) mantequilla sin sal
- 2 claras de huevo grandes
- 1/2 taza de azúcar extrafina
- 1/2 taza de chocolate negro finamente picado (quieres mantener algo de textura)
- 1/2 taza de crema espesa, ligeramente batida
- 1/2 taza de yogur estilo griego
- 18 granos de café cubiertos de chocolate o pasas
- 1 cucharadita cacao en polvo sin azúcar, tamizado

Espolvorea la gelatina sobre la leche caliente y revuelve para que se disuelva. Si es necesario, cocine en el microondas durante 30 segundos para ayudar a que se disuelva. Derrita el chocolate blanco y la mantequilla suavemente hasta que quede suave. Agregue la gelatina disuelta y deje enfriar, pero no deje que se reafirme nuevamente. Batir las claras de huevo con fuerza, luego agregar gradualmente el azúcar y agregar el chocolate negro.

Doble con cuidado el chocolate blanco enfriado, la crema batida, el yogur y las claras de huevo. Coloque la mezcla en 6 moldes individuales, o en un molde grande, forrado con una envoltura de plástico para desmoldar fácilmente. Aplana cuidadosamente las partes superiores. Cubra y congele durante 1 a 2 horas o durante la noche.

Para servir, afloje los bordes superiores con un cuchillo pequeño. Invierta cada molde en un plato para servir y limpie con un paño caliente, o retire suavemente la mousse con la envoltura de plástico. Regrese las mousses al congelador, hasta que estén listas para comer. Sirva con granos de café cubiertos de chocolate o pasas y un ligero tamizado de chocolate en polvo.

Para 6

Pastel de cuajada de limón congelado

- 1/2 taza (1 barra) de mantequilla sin sal
- 1/2 taza de azúcar extrafina
- 2 huevos grandes
- 1 cucharadita extracto puro de vainilla
- 1 taza de harina para todo uso
- 1 1/2 cucharadita Levadura en polvo
- 2 a 4 cucharadas. Leche
- 1 1/2 tazas de cuajada de limón de buena calidad
- 2 limones grandes
- 1 sobre (1/4 oz.) De gelatina sin sabor
- 2 tazas de queso crema
- 1 taza de azúcar extrafino
- 1 taza de yogur natural
- 2 claras de huevo grandes

Precalienta el horno a 190 ° C (375 ° F). Batir la mantequilla y el azúcar hasta que estén pálidos y cremosos, luego agregue los huevos y la vainilla. Agregue gradualmente los ingredientes secos, agregando un poco de leche si la mezcla no tiene una consistencia suave y goteando. Cuando esté bien mezclado, colóquelo en un molde para pastel antiadherente de fondo suelto y cuadrado de 8 pulgadas. Alise la parte superior y hornee durante 20 a 25 minutos hasta que suba uniformemente y esté firme al tacto. Deje enfriar en la sartén.

Mientras tanto, retire algunos trozos grandes y finos de ralladura de limón para decorar y manténgalos cubiertos. Ralle el resto de la ralladura en un tazón para mezclar. Exprima el jugo en una taza medidora y agregue agua para hacer 3/4 de taza de líquido. Calentar este líquido, luego espolvorear con la gelatina y remover hasta que se disuelva. Dejar enfriar. Ponga el requesón en el bol con la ralladura de limón, agregue la mitad del azúcar y bata hasta que quede cremoso y suave. Luego mezcle la gelatina enfriada y el yogur.

En un tazón aparte, bata la clara de huevo hasta que esté rígida, luego agregue el azúcar. Incorpora esta mezcla a la mezcla de requesón hasta que quede suave. Extienda una capa gruesa de cuajada de limón sobre el pastel en el molde y luego vierta la mezcla de requesón. Alise la parte superior y coloque en el congelador durante 2 horas o hasta que esté listo para servir.

Alaska al horno de piña

A la mayoría de los niños les encanta la sorpresa de este postre: merengue caliente con helado helado en su interior. Use un buen helado firme, no una bola blanda, para asegurarse de que el centro no se ablande demasiado rápido.

- 1 6 a 8 oz. pastel de jengibre comprado en la tienda
- 6 rodajas de piña madura y pelada
- 3 tazas de helado de tutti-frutti , suavizante
- 3 claras de huevo grandes
- 3/4 taza de azúcar extrafina
- unos trozos de piña fresca, para decorar

Corta el pastel en 2 trozos gruesos y colócalos en un cuadrado o un círculo en una hoja de forro de molde reutilizable en un molde para hornear, para que puedas transferirlo fácilmente a un plato para servir más tarde.

Corta las 6 rodajas de piña en triángulos o cuartos, sobre el pastel para recoger las gotas. Coloque los trozos de piña encima del pastel y luego cubra con el helado. Ponga inmediatamente la sartén en el congelador para volver a congelar el helado, si se ha ablandado demasiado.

Mientras tanto, bata las claras de huevo hasta que estén muy firmes, luego agregue el azúcar gradualmente hasta que la mezcla se vuelva rígida y brillante. Extienda la mezcla de merengue uniformemente por todo el helado y regrese al congelador. Esto se puede congelar por un par de días, si lo desea.

Cuando esté listo para servir, caliente el horno a 450 ° F (230 ° C). Coloque la bandeja para hornear en el horno caliente durante solo 5 a 7 minutos, o hasta que se dore por completo. Transfiera a un plato de servir y sirva inmediatamente, decorado con unos trozos de piña fresca.

Sirve de 6 a 8

Rollo de pavlova helado de fresa

El merengue derretido en la boca enrollado alrededor de sorbete de fresa y crema batida es un postre estrella y no tan complicado como parece.

- 2 cucharaditas maicena
- 1 taza de azúcar extrafino
- 4 claras de huevo, a temperatura ambiente
- azúcar de repostería, tamizado
- 1 1/2 tazas de sorbete de fresa
- 1/2 taza de crema espesa
- azúcar glass, fresas frescas y hojas de menta, para decorar

Alinee un 12 × 9 pulg. molde para gelatina con forro antiadherente para hornear o papel encerado, cortado a la medida. Tamizar la maicena y mezclar uniformemente con el azúcar extrafino. Batir las claras de huevo hasta que formen picos firmes pero que no estén secos ni quebradizos. Luego, agregue la mezcla de azúcar y maicena gradualmente hasta que esté rígida y brillante. Vierta con una cuchara en la sartén preparada y aplanar la parte superior.

Coloque en un horno frío y gírelo a 300 ° F (150 ° C). Cocine durante 1 hora hasta que la parte superior esté crujiente pero el merengue aún se sienta elástico (si parece que se está coloreando al principio de la cocción, reduzca la temperatura para que no se vuelva marrón). Colocar inmediatamente sobre una hoja doble de papel encerado espolvoreado con azúcar de repostería tamizada y dejar enfriar.

Mientras tanto, ablandar el sorbete y batir la nata. Cuando el merengue se haya enfriado, untarlo con cuidado y rapidez con el sorbete y luego con la nata montada. Enrolle, usando el papel como soporte, y envuélvalo ligeramente en papel de aluminio.
Regrese al congelador. Congele durante aproximadamente 1 hora (o hasta varios días) antes de servir, espolvoreado con más azúcar de repostería y cubierto con fresas frescas y menta.

Sirve de 6 a 8

Bagatela helada de frambuesa y melocotón

No puede ser más rápido que esto para un postre de fiesta bonito, colorido y sabroso.

- 4 piezas de bizcocho, picadas
- 4 a 8 cucharadas. jerez o marsala
- 7 a 8 cucharadas. gelatina de frambuesa
- 1 taza de frambuesas frescas o congeladas
- 2 duraznos maduros firmes, pelados y en rodajas
- 4 cucharadas de helado de vainilla, suavizante
- 1 taza de crema espesa batida
- frambuesas frescas y rodajas de durazno, para decorar

Desmenuza el pastel en la base de 4 platos o vasos de vidrio. Espolvoree el jerez o Marsala uniformemente sobre el pastel.

Combine la gelatina y las frambuesas, y luego vierta sobre el pastel. Cubra con los duraznos en rodajas.

Extienda el helado suavizante sobre los melocotones. Unte con la crema batida y congele hasta 1 hora antes de servir.

Cuando esté listo para servir, cubra con algunos trozos de fruta fresca.

Para 4 personas

REGALOS HELADOS PARA NIÑOS

Plátanos de chocolate congelados

Los plátanos congelados ofrecen el contraste perfecto entre el chocolate crujiente y el plátano suave que se derrite.

- 4 plátanos pequeños firmes pero maduros
- 6 onzas. chocolate con leche, partido en trozos
- 6 cucharadas crema espesa
- 4 cucharadas zumo de naranja

Congele los plátanos con piel durante aproximadamente 2 horas.

Derrita el chocolate en una cacerola pequeña con la crema y el jugo de naranja, revolviendo ocasionalmente hasta que se derrita y quede suave. Vierta en un recipiente frío y déjelo hasta que comience a espesar y enfriar. No dejes que se enfríe demasiado, de lo contrario no se cubrirá fácilmente.

Saque los plátanos del congelador y quíteles la piel cuidadosamente. Sumerja cada plátano en el chocolate para cubrirlo bien y luego retírelo con una o dos brochetas largas de madera. Sostenga el plátano sobre el tazón mientras el exceso de chocolate se escurre. Luego coloca el plátano sobre papel encerado hasta que el chocolate cuaje. Cortar en 2 o 3 trozos y volver al congelador hasta que esté listo para servir.

Inserte un palito de paleta en cada pieza para servir, si lo desea.

Estos plátanos no se conservan bien y deben consumirse el día en que se elaboran.

Para 4 personas

Sándwich de galleta de helado

- 12 galletas de chocolate
- 2 tazas de helado de vainilla (u otro sabor), ablandado

Coloca las galletas en una bandeja en el congelador. Extienda el helado ablandado en una sartén o recipiente plano hasta un grosor de aproximadamente 1/2 pulgada y vuelva a congelar. Cuando vuelva a estar firme, pero no duro, corte 6 círculos de helado para que quepan las galletas. Transfiera con cuidado el helado de la sartén a 6 galletas.
Cubra con una segunda galleta. Presione hacia abajo para sellar bien y congele hasta que esté listo para comer. Si están bien congelados, sácalos del congelador de 10 a 15 minutos antes de que quieras comerlos, de lo contrario quedarán muy duros.

Coma dentro de un par de días.

Para 6

Cazos de frutas heladas

Casi al revés de una fondue, esto será un gran final para una barbacoa familiar de verano. Asegúrese de tener una buena selección de salsas dulces listas.

- 3 a 4 tazas (1 1/2 a 2 libras) de frutas frescas firmes de buena calidad (fresas, cerezas, uchuvas)
- 1 taza de crema espesa, endulzada y batida
- 3/4 taza de salsa de frambuesa
- 3/4 taza de salsa de mango
- chispitas de caramelo

Prepare la fruta simplemente limpiándola o revisándola, pero déjela en sus tallos o cualquier cosa que pueda recoger. Congélelos por separado en papel encerado en bandejas para hornear durante al menos 1 hora hasta que estén helados pero no demasiado duros.
Coloca tazones de crema batida, salsas de frambuesa y mango, y espolvorea. Coloque las frutas glaseadas, con palillos de dientes, en una fuente grande y sirva.

Para 6

Golosinas de caramelo pegajoso

El helado de caramelo y vainilla siempre será un ganador. Sirva esto en conos para el postre de verano perfecto.

- 1 taza de salsa de caramelo
- 3 tazas de helado de vainilla
- 4 conos de azúcar

Si tiene una línea de jóvenes impacientes, deberá estar bien preparado. Lleve la salsa a temperatura ambiente para que quede espesa pero fácil de verter. Tenga el helado listo para sacar. Tenga los conos listos en un soporte.

Tomar 2 o 3 cucharadas de salsa y esparcirlo por encima del helado. Luego saca rápidamente una bola de helado, mezclando la salsa al mismo tiempo y ponla en el cono. Repita si desea una segunda cucharada en el mismo cono. Agregue un chorrito final de salsa por encima. Servir inmediatamente.

Para 4 personas

Cubitos de hielo afrutados

Los saludables cubitos de yogur helado son un postre rápido y realmente fácil para un público muy joven. De hecho, los jóvenes pueden ayudarlo a hacerlos, lo que aumentará la diversión.

- 1 taza de frambuesas en puré
- 1 taza de yogur natural o de frutas

Mezcle la fruta y el yogur. Vierta en bandejas para cubitos de hielo grandes y fáciles de quitar o en bandejas de hielo con forma de fruta. Alise las partes superiores para que queden completamente planas para ayudarlas a salir fácilmente. Inserte palitos de helado pequeños, si lo desea.
Congele de 3 a 4 horas o durante la noche. Sirva en una bonita fuente y sírvala con trozos de fruta fresca y galletas.

Hace de 10 a 12 cubos grandes

Paletas de frutas heladas

Las frutas recién trituradas y los jugos congelados en recipientes de paletas hacen refrescantes paletas heladas de verano, ¡y sabes que no están llenas de azúcar y colorantes!

- 1 1/2 tazas de fruta fresca rallada o en puré (piña, melocotón, mango)
- azúcar al gusto
- 1/2 taza (4 fl oz) de concentrado de jugo de naranja

Mezclar la fruta triturada con el azúcar y el zumo de naranja. Congele en recipientes para paletas heladas hasta que esté parcialmente congelado. Revuelva una vez para mezclar la fruta, luego vuelva a congelar hasta que casi cuaje.
Coloque un palito de paleta en el centro de cada paleta y congele hasta que esté dura.
Come directamente del congelador. Preferiblemente comer lo antes posible o congelar por no más de 1 mes en recipientes tapados.

Rinde de 4 a 6 (según el tamaño de los moldes)

Pastelillos de helado

Estos lindos cupcakes de helado se pueden cubrir con crema batida, frutas o chispas. A las niñas les encantarán. Sírvelos en vasos de papel para hornear multicolores o quita el papel antes de servir.

- 2 tazas de helado de fresa
- 6 cucharadas crema espesa, batida
- 12 frambuesas frescas
- chispitas de caramelo

Coloque 6 tazas para hornear de papel o aluminio en un molde para muffins. Si usa tazas para hornear de papel muy delgadas, duplíquelas para un soporte adicional.

Cuando el helado tenga una consistencia suave y que se pueda cucharar , llene las tazas para hornear y aplaste la parte superior. Regrese al congelador hasta que esté casi listo para servir.

Para servir, retire las tazas para hornear si lo desea y coloque los pasteles de hielo en un plato para servir bien frío. Cubra cada hielo con un poco de crema batida, 2 frambuesas y un batido de chispas. Regrese al congelador hasta que esté listo para comer.

Estos pequeños pasteles de hielo no son realmente para conservarlos más de un día, así que trate de hacer solo los que necesite.Para 6

Formas de yogur crujiente

El yogur griego y la miel hacen el helado más simple, delicioso y saludable. Conviértalo en formas de animales para divertirse un poco, luego cúbralo con chispas.

- 1 taza de miel espesa
- 3 tazas de yogur griego espeso
- 1 taza de crema espesa, ligeramente batida
- 1 cucharadita extracto puro de vainilla
- chispitas de caramelo

Caliente la miel muy ligeramente solo para ablandarla. Agregue el yogur, la crema batida y la vainilla, y vierta en un recipiente poco profundo para congelar, revolviendo con un tenedor una o dos veces. Congele durante 1 hora, rompa con un tenedor y congele durante otra hora hasta que esté firme pero al alcance de una cuchara .

Cubra una bandeja con papel antiadherente. Coloque cortadores de galletas con forma de animal o de otro tipo en la sartén y rellénelos con el helado, asegurándose de nivelar la parte superior.

Regrese rápidamente al congelador durante 1 a 2 horas hasta que esté realmente firme.

Cuando esté listo para servir, saque con cuidado el helado de los moldes y colóquelo en un plato helado. Deje que transcurran 1 o 2 minutos para que la superficie comience a ablandarse. Luego, usando una o dos brochetas de madera, sumérjalas por uno o dos lados en un tazón de chispas. Regrese al congelador inmediatamente, porque comenzarán a derretirse muy rápidamente.

Para servir, inserte un palito de paleta en cada uno.

Hace de 6 a 10 formas dependiendo de los moldes.

SUNDAES

Gloria de Knickerbocker

- fresas y cerezas frescas
- 2 cucharadas de helado de vainilla
- 6 a 8 cucharadas. Jalea de frutas
- salsa de fresa o frambuesa
- 2 cucharadas de helado de fresa
- 1/2 taza de crema espesa, batida
- almendras en rodajas tostadas

Coloca un poco de fruta fresca en la base de dos vasos de helado fríos. Agrega una bola de helado de vainilla, luego un poco de gelatina de frutas y un poco de salsa de frutas.

Luego agregue helado de fresa y luego más salsa de frutas. Ahora cubra con crema batida, fruta fresca y nueces, seguido de más salsa y algunas nueces. Regrese al congelador por no más de 30 minutos o coma inmediatamente.

Estos no son para guardar, así que prepárelos según sea necesario. Es una buena idea tener lista una selección de ingredientes adecuados antes de comenzar, así como vasos bien refrigerados. 2 porciones

Postre Melba

- 4 duraznos grandes maduros, pelados
- ralladura fina y jugo de 1 limón
- 2 a 3 cucharadas azúcar de repostería
- 8 cucharadas de helado de vainilla
- para la salsa melba
- 1 1/2 tazas de frambuesas maduras
- 2 cucharadas. jalea de grosellas
- 2 cucharadas. azucar muy fina

Corta los melocotones por la mitad y quita los huesos. Empaque bien las mitades de melocotón en una fuente refractaria y úntelas con jugo de limón. Espolvorea generosamente con azúcar glass. Coloque el plato debajo de un asador precalentado durante 5 a 7 minutos o hasta que esté dorado y burbujeante. Dejar enfriar.
Para hacer la salsa, calienta las frambuesas con la gelatina y el azúcar, y luego pásalas por un colador. Dejar enfriar.
Acomoda los duraznos en una fuente para servir con 1 o 2 bolas de helado. Rocíe con salsa melba y termine con ralladuras de ralladura de limón.

Para 4 personas

Frappé de capuchino

Helado, pero no del todo congelado, este helado de café con alcohol es delicioso como un bocadillo a media tarde o después de la cena.

- 4 cucharadas licor de cafe
- 1/2 receta de helado de café
- 4 cucharadas Ron
- 1/2 taza de crema espesa, batida
- 1 cucharada. cacao en polvo sin azúcar, tamizado

Vierta el licor en la base de 6 vasos o tazas aptas para congelador y enfríe bien o congele.
Prepara el helado como se indica hasta que esté parcialmente congelado. Luego, agregue el ron con una batidora eléctrica hasta que esté espumoso, vierta inmediatamente sobre el licor congelado y vuelva a congelar hasta que esté firme pero no duro.
Coloca la crema batida sobre el helado. Espolvorea generosamente con cacao en polvo y regresa al congelador por unos minutos hasta que estés absolutamente listo para servir.

Para 6

Lassi helado

Lassi , una bebida a base de yogur indio, se sirve como refrescante en los países cálidos (donde es especialmente delicioso después del curry picante). También es una excelente bebida semi-helada para todo tipo de ocasiones calientes.

- 2 tazas de yogur natural, parcialmente congelado
- 1/2 taza de agua helada
- 1/2 taza de cubitos de hielo
- 4 cucharadas miel clara, y más al gusto
- nuez moscada recién rallada

Coloque el yogur, el agua helada, los cubitos de hielo y la miel en un procesador de alimentos o licuadora. Licue hasta que esté espumoso y bien mezclado. Transfiera a vasos altos helados y congele durante unos 30 minutos. Sirve con un poco más de miel al gusto y espolvorea con nuez moscada recién rallada.

Sirve 1

Flotador de helado

Los flotadores de helado, también conocidos como refrescos de helado, pueden ser tan coloridos y variados como desee.

- 2 tazas de refresco de lima-limón, frío
- 2 cucharadas de helado de vainilla
- algunos mini-malvaviscos

Ponga 1 cucharada de helado en un vaso alto de refresco frío. Vierta el refresco lentamente, porque burbujeará al entrar en contacto con el helado.
Agregue la segunda cucharada de helado y cubra con algunos malvaviscos pequeños. Sirva inmediatamente con una cuchara de soda larga y pajitas.

Hace 1

Granizado de sandía y fresa

Para una bebida o un helado rápido y refrescante de verano, el aguanieve es excelente: fresco y afrutado para los niños, alcohólico para los adultos. Si desea servirlo como un cono de hielo, apile un poco de hielo picado en un vaso y vierta los ingredientes licuados sobre el hielo.

- 1 taza de hielo picado
- 1 taza de fresas frescas peladas y cortadas por la mitad
- 1 taza de pulpa de sandía (sin semillas)
- 2 a 3 cucharadas sirope de fresa o licor Fraise
- rodajas de fruta fresca, para decorar

Coloca todos los ingredientes (reserva algunas piezas de fruta para servir) en una licuadora o procesador de alimentos. Licue brevemente solo para triturar todos los ingredientes hasta obtener un granizado. No mezcle demasiado. Coloque en un recipiente en el congelador hasta que esté listo para servir.
Cuando sea necesario, sirva en vasos altos (o vasos de martini) y sirva cubierto con algunas piezas de fruta.

Sirve 1

Batido helado de albaricoque y granada

Las bebidas cremosas de yogur son saludables y refrescantes, especialmente cuando están bien heladas. Toda la familia los amará a cualquier hora del día.

- 1 taza de yogur natural o de durazno
- 2 tazas de albaricoques maduros picados y sin hueso
- 2 a 3 cucharadas miel clara
- unos cubitos de hielo
- 1/2 granada, cortada en semillas y sin la médula blanca

Pasar las granadas por un colador. Coloque el yogur, los albaricoques, la miel, los cubitos de hielo y el jugo de granada (reserve una cucharada de semillas) en una licuadora o procesador de alimentos. Licue hasta que quede muy suave.
Congele brevemente (hasta 30 minutos) o disfrútelo inmediatamente, cubierto con una cucharada de semillas de granada.

2 porciones

Sundae de chocolate y nueces

¡El chocolate y las nueces hacen tantas combinaciones maravillosas que es difícil elegir un favorito!

- 1 cucharada de helado de chocolate rico
- 1 cucharada de helado de nuez y mantequilla
- 2 cucharadas. salsa de chocolate
- 2 cucharadas. nueces tostadas
- copos, rizos o chispas de chocolate

Coloca las dos bolas de helado en un plato de helado frío. Rocíe con salsa de chocolate y luego espolvoree con nueces y chocolate.

Sirve 1

Paletas de helado bañadas en chocolate

¿Quién puede negar que un helado de chocolate realmente bueno supera a muchos en algunas ocasiones, especialmente cuando se hace con tu helado favorito?

- 1 receta de helado de vainilla de lujo
- 1 receta de salsa de chocolate
- nueces o chispas finamente picadas

Haz el helado en bolas de varios tamaños. Colóquelos inmediatamente sobre papel encerado y vuelva a congelarlos muy bien.
Prepare la salsa de chocolate y luego déjela en un lugar fresco (no frío) hasta que se enfríe pero no espese.
Cubra varias bandejas de hojas con papel encerado. Empuja un palito de paleta en el centro de una bola de helado y sumérgelo en el chocolate para cubrirlo por completo. Sujétalo sobre el bol de chocolate hasta que haya terminado de gotear y luego colócalo sobre el papel encerado limpio.
Espolvorea con nueces o chispas de colores si lo deseas. Ponga los helados en el congelador y déjelos hasta que estén bien duros (varias horas). Aunque se conservarán durante varias semanas, dependiendo de la variedad de helado que se utilice, es mejor comerlas lo antes posible.

Rinde de 6 a 8 (más si usa una cuchara muy pequeña)

SANDWICHES DE HELADO

Sándwich De Galleta De Chocolate Y Vainilla

- 1/3 taza de margarina no láctea, a temperatura ambiente
- 2/3 taza de azúcar de caña evaporada
- 2 cucharadas de leche no láctea
- 1/4 de cucharadita de vinagre suave
- 1 cucharadita de extracto de vainilla
- 3/4 taza de harina para todo uso sin blanquear
- 1/3 taza de cacao para hornear sin azúcar, tamizado
- 1/2 cucharadita de levadura en polvo
- 1/8 cucharadita de sal

Precalienta el horno a 375 ° F. Cubra una bandeja para hornear con papel pergamino.

En un tazón mediano, mezcle la margarina y el azúcar. Agrega la leche, el vinagre y la vainilla. En un tazón pequeño, combine la harina, el cacao, el polvo de hornear y la sal. Agregue los ingredientes secos a los húmedos y mezcle bien.

Coloque en la bandeja para hornear preparada. Coloque una hoja de papel encerado sobre la masa y extiéndala en un cuadrado de aproximadamente 1/4 de pulgada de grosor. Retire el papel encerado y hornee durante 10 a 12 minutos, hasta que los bordes estén firmes y ligeramente hinchados. Parecerá suave y no completamente horneado, pero lo es.

Retirar del horno y dejar enfriar durante unos 15 minutos en la bandeja para hornear sobre una rejilla. Corta con cuidado las galletas en la forma deseada. Puede usar un cortador de vidrio o galletas para hacerlos redondos, o maximizar la masa cortándolos en cuadrados de tamaño uniforme.

Retirar las galletas de la bandeja y dejar que se terminen de enfriar en la rejilla.

Sándwich de helado de vainilla y soja

Rinde: 1-1 / 4 cuartos

- 3/4 taza de azúcar de caña evaporada
- 1 cucharada más 2 cucharaditas de almidón de tapioca
- 2-1 / 2 tazas de leche de soya o cáñamo (entera)
- 1 cucharadita de aceite de coco
- 2 cucharaditas de extracto de vainilla

En una cacerola grande, combine el azúcar y el almidón de tapioca y bata hasta que se incorpore. Vierta la leche, batiendo para incorporar. A fuego medio, lleve la mezcla a ebullición, batiendo con frecuencia. Una vez que hierva, baje el fuego a medio-bajo y bata constantemente hasta que la mezcla espese y cubra el dorso de una cuchara, unos 5 minutos. Retire del fuego, agregue el aceite de coco y la vainilla, y mezcle para combinar.

Transfiera la mezcla a un recipiente resistente al calor y déjela enfriar por completo.

Vierta la mezcla en el tazón de una máquina para hacer helados de 1-1 / 2- o 2 cuartos y procese de acuerdo con las instrucciones del fabricante. Almacene en un recipiente hermético en el congelador durante al menos 2 horas antes de armar los sándwiches.

Para hacer los sándwiches

Deje que el helado se ablande un poco para que sea fácil de sacar. Coloque la mitad de las galletas, de abajo hacia arriba, sobre una superficie limpia. Coloque una cucharada generosa de helado, aproximadamente 1/3 de taza, en la parte superior de cada galleta. Cubra el helado con las galletas restantes, con las partes inferiores de las galletas tocando el helado. Presione suavemente las galletas para nivelarlas. Envuelva cada sándwich en una envoltura de plástico o papel encerado y devuélvalo al congelador durante al menos 30 minutos antes de servir.

Sándwiches de helado de rayos X

Rinde: 12 a 16 sándwiches

- 2 tazas de harina para todo uso sin blanquear
- 1 cucharadita de bicarbonato de sodio
- 1/4 cucharadita de sal
- 1 taza de margarina no láctea, a temperatura ambiente
- 1/2 taza de azúcar morena compacta
- 1/2 taza de azúcar de caña evaporada
- 1 cucharadita de maicena
- 2 cucharadas de leche no láctea
- 1-1 / 2 cucharaditas de extracto de vainilla

Precalienta el horno a 350 ° F. Cubra dos bandejas para hornear con papel pergamino.

En un tazón pequeño, combine la harina, el bicarbonato de sodio y la sal. En un tazón grande, mezcle la margarina, el azúcar morena y el azúcar de caña. Disuelva la maicena en la leche en un tazón pequeño y agregue a la mezcla de margarina junto con la vainilla. Agregue los ingredientes secos a los húmedos en lotes y mezcle hasta que quede suave.

Con un gotero para galletas o una cucharada, coloque cucharadas colmadas de masa en las bandejas para hornear preparadas a una distancia de aproximadamente 2 pulgadas. Hornee durante 8 a 10 minutos, o hasta que los bordes estén ligeramente dorados. Retirar del horno y dejar enfriar en la sartén durante 5 minutos, luego retirar para enfriar sobre una rejilla. Deja que las galletas se enfríen por completo. Almacenar en un recipiente hermético.

Helado de chocolate y soja

Rinde: 1-1 / 4 cuartos

- 3/4 taza de azúcar de caña evaporada
- 1/3 taza de cacao para hornear sin azúcar, tamizado
- 1 cucharada de almidón de tapioca
- 2-1 / 2 tazas de leche de soya o cáñamo (entera)
- 2 cucharaditas de aceite de coco
- 2 cucharaditas de extracto de vainilla

En una cacerola grande, combine el azúcar, el cacao y el almidón de tapioca, y bata hasta que el cacao y el almidón se incorporen al azúcar. Vierta la leche, batiendo para incorporar. A fuego medio, lleve la mezcla a ebullición, batiendo con frecuencia. Una vez que hierva, baje el fuego a medio-bajo y bata constantemente hasta que la mezcla espese y cubra el dorso de una cuchara, unos 5 minutos. Retirar del fuego, agregar el aceite de coco y la vainilla, y batir para combinar.

Transfiera la mezcla a un recipiente resistente al calor y déjela enfriar por completo.

Vierta la mezcla en el tazón de una máquina para hacer helados de 1-1 / 2- o 2 cuartos y procese de acuerdo con las instrucciones del fabricante. Almacene en un recipiente hermético en el congelador durante al menos 2 horas antes de armar los sándwiches.

Para hacer los sándwiches

Deje que el helado se ablande un poco para que sea fácil de sacar. Coloque la mitad de las galletas, de abajo hacia arriba, sobre una superficie limpia. Coloque una cucharada generosa de helado, aproximadamente 1/3 de taza, en la parte superior de cada galleta. Cubra el helado con las galletas restantes, con las partes inferiores de las galletas tocando el helado. Presione suavemente las galletas para nivelarlas. Envuelva cada sándwich en una envoltura de plástico o papel encerado y devuélvalo al congelador durante al menos 30 minutos antes de servir.

Sándwiches de chocolate doble

Rinde: 12 a 16 sándwiches

- 1 taza de harina para todo uso sin blanquear
- 1/2 taza de cacao para hornear sin azúcar, tamizado
- 1/2 cucharadita de bicarbonato de sodio
- 1/4 cucharadita de sal
- 1/4 taza de chispas de chocolate sin lácteos, derretidas
- 1/2 taza de margarina no láctea, ablandada
- 1 taza de azúcar de caña evaporada
- 1 cucharadita de extracto de vainilla

Precalienta el horno a 325 ° F. Cubra dos bandejas para hornear con papel pergamino.

En un tazón mediano, combine la harina, el cacao en polvo, el bicarbonato de sodio y la sal. En un tazón grande, con una batidora de mano eléctrica, mezcle las chispas de chocolate derretidas, la margarina, el azúcar y la vainilla hasta que estén bien combinados. Agregue los ingredientes secos a los húmedos en lotes hasta que estén completamente incorporados.

Coloque pequeñas bolas de masa, aproximadamente del tamaño de una canica grande (aproximadamente 2 cucharaditas) en las bandejas para hornear preparadas a una distancia de aproximadamente 2 pulgadas. Engrase ligeramente el dorso de una cucharada y presione suave y uniformemente cada galleta hasta que esté aplanada y mida aproximadamente 1-1 / 2 pulgadas de ancho. Hornee por 12 minutos o hasta que los bordes estén firmes. Si está horneando ambas hojas al mismo tiempo, gírelas a la mitad.

Después de sacarlas del horno, deje que las galletas se enfríen en la sartén durante 5 minutos, luego transfiéralas a una rejilla. Deja que las galletas se enfríen por completo. Almacenar en un recipiente hermético

Sándwich de helado de chocolate y coco

Rinde: 1 cuarto de galón

- 3/4 taza de azúcar de caña evaporada
- 1/3 taza de cacao para hornear sin azúcar, tamizado
- 1 lata (13.5 onzas) de leche de coco entera (no liviana)
- 1 taza de leche no láctea
- 1 cucharadita de extracto de vainilla

En una cacerola grande, combine el azúcar y el cacao, y bata hasta que el cacao se incorpore al azúcar. Vierta la leche de coco y la otra leche no láctea, batiendo para incorporar. A fuego medio, lleve la mezcla a ebullición, batiendo con frecuencia. Una vez que hierva, baje el fuego a medio-bajo y bata constantemente hasta que el azúcar se disuelva, unos 5 minutos. Retire del fuego y agregue la vainilla, batiendo para combinar.

Transfiera la mezcla a un recipiente resistente al calor y déjela enfriar por completo.

Vierta la mezcla en el tazón de una máquina para hacer helados de 1-1 / 2 o 2 cuartos y procese de acuerdo con las instrucciones del fabricante. Almacene en un recipiente hermético en el congelador durante al menos 2 horas antes de armar los sándwiches.

Para hacer los sándwiches

Deje que el helado se ablande un poco para que sea fácil de sacar. Coloque la mitad de las galletas, de abajo hacia arriba, sobre una superficie limpia. Coloque una cucharada generosa de helado, aproximadamente 1/3 de taza, en la parte superior de cada galleta. Cubra el helado con las galletas restantes, con las partes inferiores de las galletas tocando el helado. Presione suavemente las galletas para nivelarlas. Envuelva cada sándwich en una envoltura de plástico o papel encerado y devuélvalo al congelador durante al menos 30 minutos antes de servir.

Sándwiches de Fresa Italiano

Rinde: 12 a 16 sándwiches

- 1 taza de margarina no láctea, ablandada
- 3/4 taza de azúcar de caña evaporada, dividida
- 2 cucharaditas de extracto de vainilla
- 2-1 / 4 tazas de harina para todo uso sin blanquear

En un tazón grande, mezcle la margarina, 1/2 taza de azúcar y la vainilla hasta que estén bien combinados. Agregue la harina en tandas y mezcle hasta que la masa esté suave y tersa. Divida la masa por la mitad y forme cada mitad en un tronco rectangular, de aproximadamente 5 pulgadas de largo, 3 pulgadas de ancho y 2 pulgadas de alto. Espolvoree el 1/4 de taza de azúcar restante sobre una superficie limpia y enrolle cada tronco para cubrir el exterior. Envuelva cada tronco en una envoltura de plástico y refrigere durante al menos 2 horas.

Precalienta el horno a 375 ° F. Cubra dos bandejas para hornear con papel pergamino.

Retire los troncos de masa para galletas del refrigerador. Con un cuchillo afilado, corte los troncos en rodajas de 1/4 de pulgada de grosor, presionando los lados del tronco mientras corta para mantener su forma. Coloque las galletas en rodajas en las bandejas para hornear preparadas a una pulgada de distancia. Hornee durante 8 a 10 minutos, o hasta que los bordes estén ligeramente dorados.

Después de sacarlas del horno, deje que las galletas se enfríen en la sartén durante 5 minutos, luego transfiéralas a una rejilla. Deja que las galletas se enfríen por completo. Almacenar en un recipiente hermético

Sándwiches de pastel de zanahoria

Rinde: 12 a 16 sándwiches

- 2 tazas de harina para todo uso sin blanquear
- 1/2 cucharadita de levadura en polvo
- 2 cucharaditas de canela molida
- 1/2 cucharadita de jengibre molido
- 1/4 de cucharadita de nuez moscada molida
- 1/4 cucharadita de sal
- 3/4 taza de margarina no láctea, a temperatura ambiente
- 1 taza de azúcar morena oscura compacta
- 1/2 taza de azúcar de caña evaporada
- 2 cucharaditas de extracto de vainilla
- 1-1 / 2 tazas de zanahorias finamente ralladas (aproximadamente 2 zanahorias medianas-grandes)
- 1/3 taza de coco rallado tostado (opcional)
- 1/3 taza de nueces trituradas (opcional)

Precalienta el horno a 350 ° F. Cubra dos bandejas para hornear con papel pergamino.

En un tazón pequeño, combine la harina, el polvo de hornear, la canela, el jengibre, la nuez moscada y la sal. En un tazón grande, mezcle la margarina, el azúcar morena, el azúcar de caña y la vainilla. Agregue los ingredientes secos a los húmedos en lotes hasta que estén suaves, luego incorpore las zanahorias ralladas, el coco y las nueces, si las usa.

Con un gotero para galletas o una cucharada, deje caer cucharadas colmadas de masa en las bandejas para hornear preparadas a una distancia de aproximadamente 2 pulgadas. Presione suavemente cada galleta hacia abajo un poco.

Hornee durante 9 a 11 minutos, o hasta que los bordes estén ligeramente dorados. Retire del horno y deje enfriar en la bandeja para hornear durante 5 minutos, luego retire para enfriar sobre una rejilla. Deja que las galletas se enfríen por completo. Almacenar en un recipiente hermético

Helado de jengibre y nueces

Rinde: 1 cuarto de galón

- 2 tazas de leche no láctea (más grasa, como soja o cáñamo)
- 3/4 taza de azúcar de caña evaporada
- 1 cucharadita de jengibre molido
- 1 cucharadita de extracto de vainilla
- 1-1 / 2 tazas de anacardos crudos
- 1/16 cucharadita de goma guar
- 1/3 taza de jengibre confitado finamente picado

En una cacerola grande, mezcle la leche y el azúcar. A fuego medio, lleve la mezcla a ebullición, batiendo con frecuencia. Una vez que hierva, baje el fuego a medio-bajo y bata constantemente hasta que el azúcar se disuelva, unos 5 minutos. Retirar del fuego, agregar el jengibre y la vainilla, y batir para combinar.

Coloque los anacardos en el fondo de un recipiente resistente al calor y vierta la mezcla de leche caliente sobre ellos. Déjalo enfriar completamente. Una vez enfriado, transfiera la mezcla a un procesador de alimentos o licuadora de alta velocidad y procese hasta que quede suave, deteniéndose para raspar los lados según sea necesario. Hacia el final de su procesamiento, espolvoree la goma guar y asegúrese de que esté bien incorporada.

Vierta la mezcla en el tazón de una máquina para hacer helados de 1-1 / 2- o 2 cuartos y procese de acuerdo con las instrucciones del fabricante. Una vez que el helado esté listo, mezcla suavemente el jengibre confitado. Almacene en un recipiente hermético en el congelador durante al menos 2 horas antes de armar los sándwiches.

Para hacer los sándwiches

Deje que el helado se ablande un poco para que sea fácil de sacar. Coloque la mitad de las galletas, de abajo hacia arriba, sobre una superficie limpia. Coloque una cucharada generosa de helado, aproximadamente 1/3 de taza, en la parte superior de cada galleta. Cubra el helado con las galletas restantes, con las partes inferiores de las galletas tocando el helado.

Presione suavemente las galletas para
nivelarlas. Envuelva cada envoltura de plástico para sándwich o papel encerado y devuélvalo al congelador durante al menos 30 minutos antes de servir.

Lightning Source UK Ltd.
Milton Keynes UK
UKHW021020030521
383043UK00006B/48